W9-ATU-635

人文精品

千年庭院

余秋雨 著

中国盲文出版社

图书在版编目（CIP）数据

千年庭院/余秋雨著. —北京：中国盲文出版社，2006.5
ISBN 7-5002-2313-7

Ⅰ.千… Ⅱ.余… Ⅲ.散文—作品集—中国—当代 Ⅳ.I267

中国版本图书馆 CIP 数据核字（2006）第 026457 号

千年庭院

著　　者：余秋雨
出版发行：中国盲文出版社
社　　址：北京市丰台区卢沟桥城内街 39 号
邮政编码：100072
电　　话：（010）83895215　83896965
印　　刷：北京京晟纪元印刷有限公司
经　　销：新华书店
开　　本：787×1092　1/20
字　　数：172 千字
印　　张：12
版　　次：2006 年 5 月第 1 版　2007 年 2 月第 4 次印刷
印　　数：20001—28000 册
书　　号：ISBN 7-5002-2313-7/I·397
定　　价：22.00 元

此书盲文版同时出版
盲人读者可免费借阅

版权所有　侵权必究
印装错误可随时退换

盲文版自序

（代序）

中国盲文出版社来信，他们正在把我的部分文章翻译成盲文，征询我的意见。我当然立即答应，并深深地感谢他们。

小时候，受到家长和老师的教育，我们只要在路口见到一位盲人想过马路，总是立即冲过去扶持。当我们的小手挽住盲人的那一刻，就像触电似地体验到了最初的人生责任感。到了马路对岸，我们总是嫌路太窄，距离太短，舍不得放手，愿意多做一会儿“拐杖”。

当年想到这个比喻我就非常满意，觉得把自己看作别人的“拐杖”，既有三分自谦，又有七分自豪。后来，我经历了很多危难时刻，总喜欢对着同时陷于危难的朋友喊一句：“走吧，别怕，我是你的拐杖！”

奇怪的是，这样一喊，首先被救助的不是身边的朋友，而是我自己。我顷刻感受到了一种发自内心的力量，相信人们只要互助，就能克服一切困难。在这一点上，帮助者和被帮助者，很难区分开来。以我的经验，帮助者从被帮助者那儿获得的，往往更多。

美国大富豪和大慈善家贝林先生告诉我，他在六十岁之前就达到了自己所制定的全部经济目标，突然觉得极度无聊，甚至对人生的意义产生了怀疑。直到二〇〇一年三月的一天，他随手用一张轮椅帮助了一位六岁的残疾越南女孩，看到了这位女孩眼睛中闪现的光彩，才重新找到人生的意义。因此,他把那位女孩当作自己的老师和恩人。

为此,我要对我的盲文读者说几句话——

这些年,我走了很多路,先是寻找中华文明的一个个废墟,写出了《文化苦旅》和《山居笔记》;接着又走遍了人类重大文明的发祥地,在空间对比中来了解中华文明,在时间对比中来了解今日世界,因此又写了《千年一叹》和《行者无疆》。此外,我还根据很多读者的要求,写了一本讲述如何走出人生废墟的书叫做《霜冷长河》。我已经被国际媒体称之为世界上走得最远的文化历险者和考察者,但是,当盲文出版社的动议出现在我眼前,我又立即明白,我仍然是你们的"拐杖"。

人是有分工的。我这个人有很多弱项,但有足够的眼力和脚力,因此我负责赶路、考察,并把一路所见写下来,送给不便出行的学生、老者和盲人。正因为他们在期待我、阅读我,我的行走和写作就具备了意义。现在,我的读者中又增加了你们,意义就更大了。

一切都回到了小时候搀扶着盲人过马路的情景,只不过这次的路有点长。当年我不是总嫌马路太窄、距离太短吗?这次没有了这个缺憾了,我很满足。

请听我再说一句:我是你们的拐杖。

但需要加一句:你们使我的行走和写作增加了意义,因此是我精神上的拐杖。

谢谢!

余秋雨

二〇〇六年三月

目录

目录

卷三

千年庭院

卷一

白发苏州

道 士 塔

一

莫高窟大门外，有一条河，过河有一溜空地，高高低低建着几座僧人圆寂塔。塔呈圆形，状近葫芦，外敷白色。从几座坍弛的来看，塔心竖一木桩，四周以黄泥塑成，基座垒以青砖。历来住持莫高窟的僧侣都不富裕，从这里也可找见证明。夕阳西下，朔风凛冽，这个破落的塔群更显得悲凉。

有一座塔，由于修建年代较近，保存得较为完整。塔身有碑文，移步读去，猛然一惊，它的主人，竟然就是那个王圆箓！

历史已有记载，他是敦煌石窟的罪人。

我见过他的照片，穿着土布棉衣，目光呆滞，畏畏缩缩，是那个时代到处可以遇见的一个中国平民。他原是湖北麻城的农民，逃荒到甘肃，做了道士。几经转折，不幸由他当了莫高窟的家，把持着中国古代最灿烂的文化。他从外国冒险家手里接过极少的钱财，让他们把难以计数的敦煌文物一箱箱运走。今天，敦煌研究院的专家们只得一次次屈辱地从外国博物馆买取敦煌文献的微缩胶卷，叹息一声，走到放大机前。

完全可以把愤怒的洪水向他倾泻。但是，他太卑微，太渺小，太愚昧，最大的倾泻也只是对牛弹琴，换得一个漠然的表情。让他这具无知的躯体全然肩起这笔文化重债，连我们也会觉得无聊。

这是一个巨大的民族悲剧。王道士只是这出悲剧中错步上前的小丑。一位年轻诗人写道，那天傍晚，当冒险家斯坦因装满箱子的一队牛车正要启程，他回头看了一眼西天凄艳的晚霞。那里，一个古老民族的伤口在滴血。

二

真不知道一个堂堂佛教圣地，怎么会让一个道士来看管。中国的文官都到哪里去了，他们滔滔的奏折怎么从不提一句敦煌的事由？

其时已是二十世纪初年，欧美的艺术家正在酝酿着新世纪的突破。罗丹正在他的工作室里雕塑，雷诺阿、德加、塞尚已处于创作晚期，马奈早就展出过他的《草地上的午餐》。他们中有人已向东方艺术投来歆羡的目光，而敦煌艺术，正在王道士手上。

王道士每天起得很早，喜欢到洞窟里转转，就像一个老农，看看他的宅院。他对洞窟里的壁画有点不满，暗乎乎的，看着有点眼花。亮堂一点多好呢，他找了两个帮手，拎来一桶石灰。草扎的刷子装上一个长把，在石灰桶里蘸一蘸，开始他的粉刷。第一遍石灰刷得太薄，五颜六色还隐隐显现，农民做事就讲个认真，他再细细刷上第二遍。这儿空气干燥，一会儿石灰已经干透。什么也没有了，唐代的笑容，宋代的衣冠，洞中成了一片净白。道士擦了一把汗憨厚地一笑，顺便打听了一下石灰的市价。他算来算去，觉得暂时没有必要把更多的洞窟刷白，就刷这几个吧，他达观地放下了刷把。

当几面洞壁全都刷白，中座的塑雕就显得过分惹眼。在一个干干净净的农舍里，她们婀娜的体态过于招摇，她们柔美的浅笑有点尴尬。道士想起了自己的身份，一个道士，何不在这里搞上几个天师、灵官菩萨？他吩咐帮手去借几个铁锤，让原先几座塑雕委屈一下。事情干得不赖，才几下，婀娜的体态变成碎片，柔美的浅笑变成了泥巴。听说邻村有几个泥匠，请了来，拌点泥，开始堆塑他的天师和灵官。泥匠说从没干过这种活计，道士安慰道，不妨，有那点意思就成。于是，像顽童堆造雪人，这里是鼻子，这里是手脚，总算也能稳稳坐住。行了，再拿石灰，把它们刷白。画一双眼，还有胡子，像模像样。道士吐了一口气，谢过几个泥匠，再作下一步筹划。

今天我走进这几个洞窟，对着惨白的墙壁、惨白的怪像，脑中也是一片惨白。我几乎不会言动，眼前直晃动着那些刷把和铁锤。“住手!”我在心底痛苦地呼喊，只见王道士转过脸来，满眼困惑不解。是啊，他在整理他的宅院，闲人何必喧哗？我甚至想向他跪下，低声求他：“请等一等，等一等……”但是等什么呢？我脑中依然一片惨白。

三

一九〇〇年五月二十六日清晨，王道士依然早起，辛辛苦苦地清除着一个洞窟中的积沙。没想到墙壁一震，裂开一条缝，里边似乎还有一个隐藏的洞穴。王道士有点奇怪，急忙把洞穴打开，嗬，满满实实一洞的古物!

王道士完全不能明白，这天早晨，他打开了一扇轰动世界的门户。一门永久性的学问，将靠着这个洞穴建立。无数才华横溢的学者，将为这个洞穴耗尽终生。中国的荣耀和耻辱，将由这个洞穴吞吐。

现在，他正衔着旱烟管，扒在洞窟里随手捡翻。他当然看不懂这些东西，只觉得事情有点蹊跷。为何正好我在这儿时墙壁裂缝了呢？或许是神对我的酬劳。趁下次到县城，捡了几个经卷给县长看看，顺便说说这桩奇事。

县长是个文官，稍稍掂出了事情的分量。不久甘肃学台叶炽昌也知道了，他是金石学家，懂得洞窟的价值，建议藩台把这些文物运到省城保管。但是东西很多，运费不低，官僚们又犹豫了。只有王道士一次次随手取一点出来的文物，在官场上送来送去。

中国是穷。但只要看看这些官僚豪华的生活排场，就知道绝不会穷到筹不出这笔运费。中国官员也不是都没有学问，他们也已在窗明几净的书房里翻动出土经卷，推测着书写朝代了。但他们没有那付赤肠，下个决心，把祖国的遗产好好保护一下。他们文雅地摸着胡须，吩咐手下："什么时候，叫那个道士再送几件来！"已得的几件，包装一下，算是送给哪位京官的生日礼品。

就在这时，欧美的学者、汉学家、考古家、冒险家，却不远万里、风餐露宿，朝敦煌赶来。他们愿意变卖掉自己的全部财产，充作偷运一两件文物回去的路费。他们愿意吃苦，愿意冒着葬身沙漠的危险，甚至作好了被打、被杀的准备，朝这个刚刚打开的洞窟赶来。他们在沙漠里燃起了股股炊烟，而中国官员的客厅里，也正茶香缕缕。

没有任何关卡，没有任何手续，外国人直接走到了那个洞窟跟前。洞窟砌了一道砖、上了一把锁，钥匙挂在王道士的裤腰带上。外国人未免有点遗憾，他们万里冲刺的最后一站，没有遇到森严的文物保护官邸，没有碰见冷漠的博物馆馆长，甚至没有遇到看守和门卫，一切的一切，竟是这个肮脏的土道士。他们只得幽默地耸耸肩。

略略交谈几句，就知道了道士的品位。原先设想好的种种方案纯属多余，道士要的只是一笔最轻松的小买卖。就像用两枚针换一只鸡，一颗纽扣换一篮青菜。要详细地复述这笔交换账，也许我的笔会不太沉稳，我只能简略地说：一九〇五年十月，俄国人勃奥鲁切夫用一点点随身带着的俄国商品，换取了一大批文书经卷；一九〇七年五月，匈牙利人斯坦因用一叠子银元换取了二十四大箱经卷、五箱织绢和绘画；一九〇八年七月，法国人伯希和又用少量银元换去了十大车、六千多卷写本和画卷；一九一一年十月，日本人吉川小一郎和橘瑞超用难以想像的低价换取了三百多卷写本和两尊唐塑；一九一四年，斯坦因第二次又来，仍用一点银元换去五大箱、六百多卷经卷；……

道士也有过犹豫，怕这样会得罪了神。解除这种犹豫十分简单，那个斯坦因就哄他说，自己十分崇拜唐僧，这次是倒溯着唐僧的脚印，从印度到中国取经来了。好，既然是洋唐僧，那就取走吧，王道士爽快地打开了门。这里不用任何外交辞令，只需要几句现编的童话。

一箱子，又一箱子。一大车，又一大车。都装好了，扎紧了，吁——，车队出发了。

没有走向省城，因为老爷早就说过，没有运费。好吧，那就运到伦敦，运到巴黎，运到彼得堡，运到东京。

王道士频频点头，深深鞠躬，还送出一程。他恭敬地称斯坦因为“司大人讳代诺”，称伯希和为“贝大人讳希和”。他的口袋里有了一些沉甸甸的银元，这是平常化缘时很难得到的。他依依惜别，感谢司大人、贝大人的“布施”。车队已经驶远，他还站在路口。沙漠上，两道深深的车辙。

斯坦因他们回到国外，受到了热烈的欢迎。他们的学术报告和探险报告，时时激起如雷的掌声。他们在叙述中常常提到古怪的王道士，让外国听众感到，从这么一个蠢人手中抢救出这笔遗产，是多么重要。他们不断暗示，是他们的长途跋涉，使敦煌文献从黑暗走向光明。

他们都是富有实干精神的学者，在学术上，我可以佩服他们。但是，他们的论述中遗忘了一些极基本的前提。出来辩驳为时已晚，我心头只是浮现出一个当代中国青年的几行诗句，那是他写给火烧圆明园的额尔金勋爵的：

我好恨
恨我没早生一个世纪
使我能与你对视着站立在
　　阴森幽暗的古堡
　　晨光微露的旷野
要么我拾起你扔下的白手套
要么你接住我甩过去的剑
要么你我各乘一匹战马
远远离开遮天的帅旗
　　离开如云的战阵
　　决胜负于城下

对于这批学者,这些诗句或许太硬。但我确实想用这种方式,拦住他们的车队。对视着,站立在沙漠里。他们会说,你们无力研究;那么好,先找一个地方,坐下来,比比学问高低。什么都成,就是不能这么悄悄地运走祖先给我们的遗赠。

我不禁又叹息了,要是车队果真被我拦下来了,然后怎么办呢?我只得送缴当时的京城,运费姑且不计。但当时,洞窟文献不是确也有一批送京的吗?其情景是,没装木箱,只用席子乱捆,沿途官员伸手进去就取走一把,在哪儿歇脚又得留下几捆,结果,到京城时已零零落落,不成样子。

偌大的中国,竟存不下几卷经文!比之于被官员大量糟践的情景,我有时甚至想狠心说一句:宁肯存放在伦敦博物馆里!这句话终究说得不太舒心。被我拦住的车队,究竟应该驶向哪里?这里也难,那里也难,我只能让它停驻在沙漠里,然后大哭一场。

我好恨!

四

不止是我在恨。敦煌研究院的专家们,比我恨得还狠。他们不愿意抒发感情,只是铁板着脸,一钻几十年,研究敦煌文献。文献的胶卷可以从外国买来,越是屈辱越是加紧钻研。

我去时,一次敦煌学国际学术讨论会正在莫高窟举行。几天会罢,一位日本学者用沉重的声调作了一个说明:“我想纠正一个过去的说法。这几年的成果已经表明,敦煌在中国,敦煌学也在中国!”

中国的专家没有太大的激动,他们默默地离开了会场,走过王道士的圆寂塔前。

阳关雪

中国古代，一为文人，便无足观。文官之显赫，在官而不在文，他们作为文人的一面，在官场也是无足观的。但是事情又很怪异，当峨冠博带早已零落成泥之后，一杆竹管笔偶尔涂划的诗文，竟能镌刻山河，雕镂人心，永不漫漶。

我曾有缘，在黄昏的江船上仰望过白帝城，顶着浓冽的秋霜登临过黄鹤楼，还在一个冬夜摸到了寒山寺。我的周围，人头济济，差不多绝大多数人的心头，都回荡着那几首不必引述的诗。人们来寻景，更来寻诗。这些诗，他们在孩提时代就能背诵。孩子们的想像，诚恳而逼真。因此，这些城，这些楼，这些寺，早在心头自行搭建。待到年长，当他们刚刚意识到有足够脚力的时候，也就给自己负上了一笔沉重的宿债，焦渴地企盼着对诗境实地的踏访。为童年，为历史，为许多无法言传的原因。有时候，这种焦渴，简直就像对失落的故乡的寻找，对离散的亲人的查访。

文人的魔力，竟能把偌大一个世界的生僻角落，变成人人心中的故乡。他们褪色的青衫里，究竟藏着什么法术呢？

今天，我冲着王维的那首《渭城曲》，去寻阳关了。出发前曾在下榻的县城向老者打听，回答是："路又远，也没什么好看的，倒是有一些文人辛辛苦苦找去。"老者抬头看天，又说："这雪一时下不停，别去受这个苦了。"我向他鞠了一躬，转身钻进雪里。

一走出小小的县城，便是沙漠。除了茫茫一片雪白，什么也没有，连一个皱折也找不到。在别地赶路，总要每一段为自己找一个目标，盯着一棵树，赶过去，然后再盯着一块石头，赶过去。在这里，睁疼了眼也看不见一个目标，哪怕是一片枯叶，一个黑点。于是，只好抬起头来看天。从未见过这样完整的天，一点儿也没有被吞食，边沿全是挺展展的，紧扎扎地把大地罩了个严实。有这样的地，天才叫天。有这样的天，地才叫地。在这样的天地中独个儿行走，侏儒也变成了巨人。在这样的天地中独个儿行走，巨人也变成了侏儒。

天竟晴了，风也停了，阳光很好。没想到沙漠中的雪化得这样快，才片刻，地上已见斑斑沙底，却不见湿痕。天边渐渐飘出几缕烟迹，并不动，却在加深，疑惑半晌，才发现，那是刚刚化雪的山脊。

地上的凹凸已成了一种令人惊骇的铺陈，只可能有一种理解：那全是远年的坟堆。

这里离县城已经很远，不大会成为城里人的丧葬之地。这些坟堆被风雪所蚀，因年岁而坍，枯瘦萧条，显然从未有人祭扫。它们为什么会有那么多，排列得又是那么密呢？只可能有一种理解：这里是古战场。

我在望不到边际的坟堆中茫然前行，心中浮现出艾略特的《荒原》。这里正是中华历史的荒原：如雨的马蹄，如雷的呐喊，如注的热血。中原慈母的白发，江南春闺的遥望，湖湘稚儿的夜哭。故乡柳荫下的诀别，将军圆睁的怒目，猎猎于朔风中的军旗。随着一阵烟尘，又一阵烟尘，都飘散远去。我相信，死者临亡时都是面向朔北敌阵的；我相信，他们又很想在最后一刻回过头来，给熟悉的土地投注一个目光。于是，他们扭曲地倒下了，化作沙堆一座。

这繁星般的沙堆，不知有没有换来史官们的半行墨迹？史官们把卷帙一片片翻过，于是，这块土地也有了一层层的沉埋。堆积如山的二十五史，写在这个荒原上的篇页还算是比较光彩的，因为这儿毕竟是历代王国的边远地带，长久担负着保卫华夏疆域的使命。所以，这些沙堆还站立得较为自在，这些篇页也还能哗哗作响。就像干寒单调的土地一样，出现在西北边陲的历史命题也比较单纯。在中原内地就不同了，山重水复、花草掩荫，岁月的迷宫会让最清醒的头脑胀得发昏，晨钟暮鼓的音响总是那样的诡秘和乖戾。那儿，没有这么大大咧咧铺张开的沙堆，一切都在重重美景中发闷，无数不知为何而死的怨魂，只能悲愤懊丧地深潜地底。不像这儿，能够袒露出一帙风干的青史，让我用二十世纪的脚步去匆匆抚摩。

远处已有树影。急步赶去，树下有水流，沙地也有了高低坡斜。登上一个坡，猛一抬头，看见不远的山峰上有荒落的土墩一座，我凭直觉确信，这便是阳关了。

树愈来愈多，开始有房舍出现。这是对的，重要关隘所在，屯扎兵马之地，不能没有这一些。转几个弯，再直上一道沙坡，爬到土墩底下，四处寻找，近旁正有一碑，上刻“阳关古址”四字。

这是一个俯瞰四野的制高点。西北风浩荡万里，直扑而来，踉跄几步，方才站住。脚是站住了，却分明听到自己牙齿打战的声音，鼻子一定是立即冻红了的。呵一口热气到手掌，捂住双耳用力蹦跳几下，才定下心来睁眼。这儿的雪没有化，当然不会化。所谓古址，已经没有什么故迹，只有近处的烽火台还在，这就是刚才在下面看到的土墩。土墩已坍了大半，可以看见一层层泥沙，一层层苇草，苇草飘扬出来，在千年之后的寒风中抖动。眼下是西北的群山，都积着雪，层层叠叠，直伸天际。任何站立在这儿的人，都会感觉到自己是站在大海边的礁石上，那些山，全是冰海冻浪。

王维实在是温厚到了极点。对于这么一个阳关，他的笔底仍然不露凌厉惊骇之色，而只是缠绵淡雅地写道："劝君更尽一杯酒，西出阳关无故人。"他瞟了一眼渭城客舍窗外青青的柳色，看了看友人已打点好的行囊，微笑着举起了酒壶。再来一杯吧，阳关之外，就找不到可以这样对饮畅谈的老朋友了。这杯酒，友人一定是毫不推却，一饮而尽的。

这便是唐人风范。他们多半不会洒泪悲叹，执袂劝阻。他们的目光放得很远，他们的人生道路铺展得很广。告别是经常的，步履是放达的。这种风范，在李白、高适、岑参那里，焕发得越加豪迈。在南北各地的古代造像中，唐人造像一看便可识认，形体那么健美，目光那么平静，神采那么自信。在欧洲看蒙娜丽莎的微笑，你立即就能感受，这种恬然的自信只属于那些真正从中世纪的梦魇中甦醒、对前路挺有把握的艺术家们。唐人造像中的微笑，只会更沉着、更安详。在欧洲，这些艺术家们翻天覆地地闹腾了好一阵子，固执地要把微笑输送进历史的魂魄。谁都能计算，他们的事情发生在唐代之后多少年。而唐代，却没有把它的属于艺术家的自信延续久远。阳关的风雪，竟越见凄迷。

王维诗画皆称一绝，莱辛等西方哲人反复论述过的诗与画的界线，在他是可以随脚出入的。但是，长安的宫殿，只为艺术家们开了一个狭小的边门，允许他们以卑怯侍从的身份躬身而入，去制造一点娱乐。历史老人凛然肃然，扭过头去，颤巍巍地重又迈向三皇五帝的宗谱。这里，不需要艺术闹出太大的局面，不需要对美有太深的寄托。

于是，九州的画风随之黯然。阳关，再也难于享用温醇的诗句。西出阳关的文人还是有的，只是大多成了谪官逐臣。

即便是土墩、是石城，也受不住这么多叹息的吹拂，阳关坍弛了，坍弛在一个民族的精神疆域中。它终成废墟，终成荒原。身后，沙坟如潮，身前，寒峰如浪。谁也不能想像，这儿，一千多年之前，曾经验证过人生的壮美，艺术情怀的弘广。

这儿应该有几声胡笳和羌笛的，音色极美，与自然浑和，夺人心魄。可惜它们后来都成了兵士们心头的哀音。既然一个民族都不忍听闻，它们也就消失在朔风之中。

回去罢，时间已经不早。怕还要下雪。

都　江　堰

我以为，中国历史上最激动人心的工程不是长城，而是都江堰。

长城当然也非常伟大，不管孟姜女们如何痛哭流涕，站远了看，这个苦难的民族竟用人力在野山荒漠间修了一条万里屏障，为我们生存的星球留下了一种人类意志力的骄傲。长城到了八达岭一带已经没有什么味道，而在甘肃、陕西、山西、内蒙一带，劲厉的寒风在时断时续的颓壁残垣间呼啸，淡淡的夕照、荒凉的旷野溶成一气，让人全身心地投入对历史、对岁月、对民族的巨大惊悸，感觉就深厚得多了。

但是，就在秦始皇下令修长城的数十年前，四川平原上已经完成了一个了不起的工程。它的规模从表面上看远不如长城宏大，却注定要稳稳当当地造福千年。如果说，长城占据了辽阔的空间，那么，它却实实在在地占据了邈远的时间。长城的社会功用早已废弛，而它至今还在为无数民众输送汩汩清流。有了它，旱涝无常的四川平原成了天府之国，每当我们民族有了重大灾难，天府之国总是沉着地提供庇护和濡养。因此，可以毫不夸张地说，它永久性地灌溉了中华民族。

有了它，才有诸葛亮、刘备的雄才大略，才有李白、杜甫、陆游的川行华章。说得近一点，有了它，抗日战争中的中国才有一个比较安定的后方。

它的水流不像万里长城那样突兀在外，而是细细浸润、节节延伸，延伸的距离并不比长城短。长城的文明是一种僵硬的雕塑，它的文明是一种灵动的生活。长城摆出一副老资格等待人们的修缮，它却卑处一隅，像一位绝不炫耀、毫无所求的乡间母亲，只知贡献。一查履历，长城还只是它的后辈。

它，就是都江堰。

二

我去都江堰之前，以为它只是一个水利工程罢了，不会有太大的游观价值。连葛洲坝都看过了，它还能怎么样？只是要去青城山玩，得路过灌县县城，它就在近旁，就乘便看一眼吧。因此，在灌县下车，心绪懒懒的，脚步散散的，在街上胡逛，一心只想看青城山。

七转八弯，从简朴的街市走进了一个草木茂盛的所在。脸面渐觉滋润，眼前愈显清朗，也没有谁指路，只向更滋润、更清朗的去处走。忽然，天地间开始有些异常，一种隐隐然的骚动，一种还不太响却一定是非常响的声音，充斥周际。如地震前兆，如海啸将临，如山崩即至，浑身起一种莫名的紧张，又紧张得急于趋附。不知是自己走去的还是被它吸去的，终于陡然一惊，我已站在伏龙馆前，眼前，急流浩荡，大地震颤。

即便是站在海边礁石上，也没有像这里这样强烈地领受到水的魅力。海水是雍容大度的聚会，聚会得太多太深，茫茫一片，让人忘记它是切切实实的水，可掬可捧的水。这里的水却不同，要说多也不算太多，但股股叠叠都精神焕发，合在一起比赛着飞奔的力量，踊跃着喧嚣的生命。这种比赛又极有规矩，奔着奔着，遇到江心的分水堤，刷地一下裁割为二，直窜出去，两股水分别撞到了一道坚坝，立即乖乖地转身改向，再在另一道坚坝上撞一下，于是又根据筑坝者的指令来一番调整……也许水流对自己的驯顺有点恼怒了，突然撒起野来，猛地翻卷咆哮，但越是这样越是显现出一种更壮丽的驯顺。已经咆哮到让人心魄俱夺，也没有一滴水溅错了方位。阴气森森间，延续着一场千年的收伏战。水在这里，吃够了苦头也出足了风头，就像一大拨翻越各种障碍的马拉松健儿，把最强悍的生命付之于规整，付之于企盼，付之于众目睽睽。看云看雾看日出各有胜地，要看水，万不可忘了都江堰。

三

这一切，首先要归功于遥远得看不出面影的李冰。

四川有幸，中国有幸，公元前二百五十一年出现过一项毫不惹人注目的任命：李冰任蜀郡守。

此后中国千年官场的惯例，是把一批批有所执持的学者遴选为无所专攻的官僚，而李冰，却因官位而成了一名实践科学家。这里明显地出现了两种判然不同的政治走向，在李冰看来，政治的含义是浚理，是消灾，是滋润，是濡养，它要实施的事儿，既具体又质朴。他领受了一个连孩童都能领悟的简单道理：既然四川最大的困扰是旱涝，那么四川的统治者必须成为水利学家。

前不久我曾接到一位极有作为的市长的名片，上面的头衔只印了“土木工程师”，我立即追想到了李冰。

没有证据可以说明李冰的政治才能，但因有过他，中国也就有过了一种冰清玉洁的政治纲领。

他是郡守，手握一把长锸，站在滔滔的江边，完成了一个“守”字的原始造型。那把长锸，千年来始终与金杖玉玺、铁戟钢锤反复辩论。他失败了，终究又胜利了。

他开始叫人绘制水系图谱。这图谱，可与今天的裁军数据、登月线路遥相呼应。

他当然没有在哪里学过水利。但是，以使命为学校，死钻几载，他总结出治水三字经（“深淘滩，低作堰”）、八字真言（“遇湾截角，逢正抽心”），直到二十世纪仍是水利工程的圭臬。他的这点学问，永远水气淋漓，而后于他不知多少年的厚厚典籍，却早已风干，松脆得无法翻阅。

他没有料到，他治水的韬略很快被替代成治人的计谋；他没有料到，他想灌溉的沃土将会时时成为战场，沃土上的稻谷将有大半充作军粮。他只知道，这个人种要想不灭绝，就必须要有清泉和米粮。

他大愚，又大智。他大拙，又大巧。他以田间老农的思维，进入了最澄彻的人类学的思考。

他未曾留下什么生平资料，只留下硬扎扎的水坝一座，让人们去猜详。人们到这儿一次次纳闷：这是谁呢？死于两千年前，却明明还在指挥水流。站在江心的岗亭前，“你走这边，他走那边”的吆喝声、劝诫声、慰抚声，声声入耳。没有一个人能活得这样长寿。

秦始皇筑长城的指令，雄壮、蛮吓、残忍；他筑堰的指令，智慧、仁慈、透明。

有什么样的起点就会有什么样的延续。长城半是壮胆半是排场，世世代代，大体是这样。直到今天，长城还常常成为排场。都江堰一开始就清朗可鉴，结果，它的历史也总显出超乎寻常的格调。李冰在世时已考虑事业的承续，命令自己的儿子作三个石人，镇于江间，测量水位。李冰逝世四百年后，也许三个石人已经损缺，汉代水官重造高及三米的“三神石人”测量水位。这“三神石人”其中一尊即是李冰雕像。这位汉代水官一定是承接了李冰的伟大精魂，竟敢于把自己尊敬的祖师，放在江中镇水测量。他懂得李冰的心意，惟有那里才是他最合适的岗位。这个设计竟然没有遭到反对而顺利实施，只能说都江堰为自己流泻出了一个独特的精神世界。

石像终于被岁月的淤泥掩埋，本世纪七十年代出土时，有一尊石像头部已经残缺，手上还紧握着长锸。有人说，这是李冰的儿子。即使不是，我仍然把他看成是李冰的儿子。一位现代作家见到这尊塑像怦然心动，“没淤泥而蔼然含笑，断颈项而长锸在握”，作家由此而向现代官场衮衮诸公诘问：活着或死了应该站在哪里？

出土的石像现正在伏龙馆里展览。人们在轰鸣如雷的水声中向他们默默祭奠。在这里，我突然产生了对中国历史的某种乐观。只要都江堰不坍，李冰的精魂就不会消散，李冰的儿子会代代繁衍。轰鸣的江水便是至圣至善的遗言。

四

继续往前走，看到了一条横江索桥。桥很高，桥索由麻绳、竹篾编成。跨上去，桥身就猛烈摆动，越犹豫进退，摆动就越大。在这样高的地方偷看桥下会神志慌乱，但这是索桥，到处漏空，由不得你不看。一看之下，先是惊吓，后是惊叹。脚下的江流，从那么遥远的地方奔来，一派义无返顾的决绝势头，挟着寒风，吐着白沫，凌厉锐进。我站得这么高还感觉到了它的砭肤冷气，估计它是从雪山赶来的罢。但是，再看桥的另一边，它硬是化作许多亮闪闪的河渠，改恶从善。人对自然力的驯服，干得多么爽利。如果人类干什么事都这么爽利，地球早已是另一副模样。

但是，人类总是缺乏自信，进进退退，走走停停，不断地自我耗损，又不断地为耗损而再耗损。结果，仅仅多了一点自信的李冰，倒成了人们心中的神。离索桥东端不远的玉垒山麓，建有一座二王庙，祭祀李冰父子。人们在虔诚膜拜，膜拜自己同类中更像一点人的人。钟鼓钹磬，朝朝暮暮，重一声，轻一声，伴和着江涛轰鸣。

李冰这样的人，是应该找个安静的地方好好纪念一下的，造个二王庙，也合民众心意。

实实在在为民造福的人升格为神，神的世界也就会变得通情达理、平适可亲。中国宗教颇多世俗气息，因此，世俗人情也会染上宗教式的光斑。一来二去，都江堰倒成了连接两界的桥墩。

我到边远地区看傩戏，对许多内容不感兴趣。特别使我愉快的是，傩戏中的水神河伯，换成了灌县李冰。傩戏中的水神李冰比二王庙中的李冰活跃得多，民众围着他狂舞呐喊，祈求有无数个都江堰带来全国的风调雨顺，水土滋润。傩戏本来都以神话开头的，有了一个李冰，神话走向实际，幽深的精神天国一下子贴近了大地，贴近了苍生。

贵池傩

一

傩，一个奇奇怪怪的字，许多文化程度不低的人也不认识它。它早已进入生僻字的行列，不定什么时候，还会从现代青年的知识词典中完全消失。

然而，这个字与中华民族的历史关系实在太深太远了。如果我们把目光稍稍从宫廷史官们的笔端离开，那么，山南海北的村野间都会隐隐升起这个神秘的字：傩。

傩在训诂学上的假借、转义过程，说来太烦。它的普通意义，是指人们在特定季节驱逐疫鬼的祭仪。人们埋头劳作了一年，到岁尾岁初，要抬起头来与神对对话了。要扭动一下身子，自己乐一乐，也让神乐一乐了。要把讨厌的鬼疫，狠狠地赶一赶了。对神，人们既有点谦恭畏惧，又不想失去自尊，表情颇为难做，干脆戴上面具，把人、神、巫、鬼搅成一气，在浑浑沌沌中歌舞呼号，简直分不清是对上天的祈求，还是对上天的强迫。反正，肃穆的朝拜气氛是不存在的，涌现出来的是一股蛮赫的精神狂潮:鬼,去你的吧! 神,你看着办吧!

汉代,一次傩祭是牵动朝野上下的全民性活动,主持者和演出者数以百计,皇帝、大臣、一品至六品的官员都要观看,市井百姓也允许参与。

宋代,一次这样的活动已有千人以上参加,观看时的气氛则是山呼海动。

明代,傩戏演出时竟出现过万余人齐声呐喊的场面。

…………

若要触摸中华民族的精神史,哪能置傩于不顾呢?

法国现代学者乔治·杜梅吉尔(Georges Dumézil)提出过印欧古代文明的三元(tripartie)结构模式,以古代印度、欧洲神话中不约而同地存在着主神,战神,民事神作为印证。他认为这种三元结构在中国不存在,这似乎成了不可动摇的结论。但是如果我们略为关注一下傩神世界,很快就发现那里有宫廷傩、军傩、乡人傩,分别与主神、战神、民事神隐隐对应着。傩,潜伏着中国古代社会最基本的几个文明侧面。

时间已流逝到二十世纪八十年代,傩事究竟如何了呢? 平心而论,几年前刚听到目前国内许多地方还保留着完好的傩仪活动时,我是大吃一惊的。我有心把它当作一件自己应该关注的事来对待,好好花点功夫。

一九八七年二月,春节刚过,我挤上非常拥挤的长途汽车,向安徽贵池山区出发。据说,那里傩事挺盛。

二

从上海走向傩，毕竟有漫长的距离。田野在车窗外层层卷去，很快就卷出了它的本色。水泥围墙、电线杆确实不少，但它们仿佛竖得有点冷清；只要是农民自造的新屋，便立即浑身土艳，与大地抱在一起，亲亲热热。兀地横过一条柏油路，让人眼睛一亮，但四周一看，它又不太合群。包围着它的是延绵不绝的土墙、泥丘、浊沟、小摊、店招。当日的标语已经刷去，新贴上去的对联钩连着一个世纪前的记忆。路边有几个竹棚干着“打气补胎”的行当，不知怎么却写成了“打胎补气”。

汽车一站站停去，乘客在不断更替。终于，到九华山进香的妇女成了车中的主体。她们高声谈论，却不敢多看窗外。窗外，步行去九华山的人们慢慢地走着，他们远比坐车者虔诚。

这块灰黄的土地，怎么这样固执呢？固执得如此不合时宜。它慢条斯理地承受过一次次现代风暴，又依然款款地展露着自己苍老野拙的面容。坟丘在一圈圈增加，纸幡飘飘，野烧隐隐，下一代闯荡一阵、焦躁一阵，很快又雕满木讷的皱纹。路边墙上画着外国电影的海报，而我耳边，已响起傩祭的鼓声……

这鼓声使我回想起三十多年前。一天，家乡的道士正躲在一处做法事。乐声悦耳，礼仪彬彬，头戴方帽的道士在为一位客死异地的乡人招魂。他报着亡灵返归的沿途地名，祈求这些地方的冥官放其通行。突然，道士身后涌出一群人，是小学的校长带着一批学生。他们麻利地没收了全部招魂用具，厉声勒令道士到村公所听训。围观的村民被这个场面镇住了，那天傍晚吃晚饭的时候，几乎一切有小学生的家庭都发生了两代间的争论。父亲拍着筷子追打孩子，孩子流着眼泪逃出门外，三五成群地躲在草垛后面，想着课本上的英雄，记着老师的嘱咐，饿着肚子对抗迷信。月亮上来了，夜风正紧，孩子们抬头看看，抱紧双肩，心中比夜空还要明净：老师说了，这是月球，正围着地球在转；风，空气对流而成。

我实在搞不清是一段什么样的历史，使我小学的同学们，今天重又陷入宗教性的精神困顿。

我只知道一个事实：今天要去看的贵池傩仪傩戏，之所以保存得比较完好，却要归功于一位小学校长。

也是小学校长！

我静下心来，闭目细想，把我们的小学校长与他合成一体。我仿佛看见，这位老人在捉了许多次道士、讲了无数遍自然、地理、历史课之后，终于皱着眉头品味起身边的土地。接连的灾祸，犟韧的风俗，使他重新去捧读一本本史籍。熬过了许多不眠之夜，他慢吞吞地从语文讲义后抽出几张白纸，走出门外，开始记录农民的田歌、俗谚，最后，犹豫再三，他敲响了早已改行的道士家的木门。

但是，我相信这位校长，他绝不会出尔反尔，再去动员道士张罗招魂的典仪。他坐在道士身边听了又听，选了又选，然后走进政府机关大门，对惊讶万分的干部们申述一条条的理由，要求保存傩文明。这种申述十分艰难，直到来自国外的文化考察者的来访，直到国内著名学者也来挨家挨户地打听，他的理由才被大体澄清。

于是，我也终于听到了有关傩的公开音讯。

三

单调的皮筒鼓响起来了。

山村不大，村民们全朝鼓声涌去，那是一个陈旧的祠堂。灰褐色的梁柱上新贴着驱疫祈福的条幅，正面有一高台，傩戏演出已经开场。

开始是傩舞，一小段一小段的。这是在请诸方神灵，请来的神也是人扮的，戴着面具，踏着锣鼓声舞蹈一回，算是给这个村结下了交情。神灵中有观音、魁星、财神、判官，也有关公。村民们在台下一一辨认妥当，觉得一年中该指靠的几位都来了，心中便觉安定。于是再来一段《打赤鸟》，赤鸟象征着天灾；又来一段《关公斩妖》，妖魔有着极广泛的含义。其中有一个妖魔被迫，竟逃下台来，冲出祠堂，观看的村民哄然起身，也一起冲出祠堂紧追不舍。一直追到村口，那里早有人燃起野烧，点响一串鞭炮，终于把妖魔逐出村外。村民们抚掌而笑，又闹哄哄地涌回祠堂，继续观看。

如此来回折腾一番，演出舞台已延伸为整个村子，所有的村民都已裹卷其间，仿佛整个村子都在齐心协力地集体驱妖。火光在月色下闪动，鞭炮一次次窜向夜空，确也气势夺人。在村民们心间，小小的舞台只点了一下由头，全部祭仪铺展得很大。他们在祭天地、日月、山川、祖宗，空间限度和时间限度都极其广阔，祠堂的围墙形同虚设。

接下来是演几段大戏。有的注重舞，有的注重唱。舞姿笨拙而简陋，让人想到远古。由于头戴面具，唱出的声音低哑不清，也像几百年前传来。有一重头唱段，由傩班的领班亲自完成。这是一位瘦小的老者，竟毫不化妆，也无面具，只穿今日农民的寻常衣衫，在浑身披挂的演员们中间安稳坐下，戴上老花眼镜，一手拿一只新式保暖杯，一手翻开一个绵纸唱本，咿咿呀呀唱将起来。全台演员依据他的唱词而动作，极似木偶。这种演法，粗陋之极，也自由之极。既会让现代戏剧家嘲笑，也会让现代戏剧家惊讶。

平心而论，演出极不好看。许多研究者写论文盛赞其艺术高超，我只能对之抱歉。演者全非专业，平日皆是农民、工匠，荒疏长久，匆促登台，腿脚生硬，也只能如此了。演者中有不少年轻人，应是近年刚刚着手。估计是在国内外考察者来过之后，才走进傩仪队伍中来的。本来血气方刚、手脚灵便的他们，来学这般稚拙动作，看来更是牵强。就年龄论，他们应是我小学同学的儿子一辈。

演至半夜，休息一阵，演者们到祠堂边的小屋中吃"腰台"。"腰台"亦即夜宵，是村民对他们的犒赏。屋中摆开三桌，每桌中间置一圆底锅，锅内全是白花花的肥肉片，厚厚一层油腻浮在上面。再也没有其他菜肴，围着圆锅的是十只瓷酒杯，一小坛自酿烧酒已经开盖。

据说，吃完"腰台"，他们要演到天亮。从日落演到日出，谓之"两头红"，颇为吉利。

我已浑身发困，陪不下去了，约着几位同行者，离开了村子。住地离这里很远，我们要走一程长长的山路。走着走着，我越来越疑惑：刚才经历的，太像一个梦。

四

翻过一个山岙，我们突然被一排火光围困。

又惊又惧，只得走近前去。拦径者一律山民打扮，举着松明火把，照着一条纸扎的龙。见到了我们，也不打招呼，只是大幅度地舞动起来，使我们不解其意，不知所措。舞完一段，才有一位站出，用难懂的土音大声说道："听说外来的客人到那个村子看傩去了，我们村也有，为什么不去？我们在这里等候多时！"

我们惶恐万分，只得柔声解释，说现在已是深更半夜，身体困乏，不能再去。山民认真地打量着我们，最后终于提出条件，要我们站在这里，再看他们好好舞一回。

那好吧，我们静心观看。在这漆黑的深夜，在这阒无人迹的山坳间，看着火把的翻滚，看着举火把的壮健的手和满脸亮闪闪的汗珠，倒实在是一番雄健的美景，我们由衷地鼓起掌来。掌声方落，舞蹈也停，也不道再见，那火把，那纸龙，全都迤逦而去，顷刻消失在群兽般的山林中。

更像是梦，惟有鼻子还能嗅到刚刚燃过的松香味，信其为真。

我实在被这些梦困扰了。直到今天，仍然解脱不得。山村，一个个山村，重新延续起傩祭傩戏，这该算是一件什么样的事端？真诚倒也罢了，谁也改变不了民众真诚的作为；但那些戴着面具的青年农民，显然已不会真诚。文化，文化！难道为了文化学者们的考察兴趣，就让他们长久地如此跳腾？我的校长，您是不是把您的这一事业，稍稍做得太大了一点？

或许，也真是我们民族的自我复归和自我确认？那么，几百年的踉跄路程，竟都消失得无影无踪？

我们，相对于我们的祖先，总要摆脱一些什么吧？或许，我们过去摆脱得过于鲁莽，在这里才找到了摆脱的起点？要是这样，我们还要走一段多么可怕的长程。

傩祭傩戏中，确有许多东西，可以让我们追索属于我们的古老灵魂。但是，这种追索的代价，是否过于沉重？

前不久接到美国夏威夷大学的一封来信，说他们的刊物将发表我考察傩的一篇论文。我有点高兴，但又像做错了什么。我如此热情地向国外学术界报告着中国傩的种种特征，但在心底却又矛盾地珍藏着童年时的那个月夜，躲在草垛后面，用明净的心对着明净的天，痴想着月球的旋转和风的形成。

我的校长！真想再找到您，吐一吐我满心的疑问。

青云谱随想

一

恕我直言，在我到过的省会中，南昌算是不太好玩的一个。幸好它的郊外还有个青云谱。

青云谱原是个道院，主持者当然是个道士，但原先他却做过十多年和尚，做和尚之前他还年轻，是堂堂明朝王室的后裔。不管他的外在身份如何变化，历史留下了他的一个最根本的身份：十七世纪晚期中国的杰出画家。

他叫朱耷，又叫八大山人、雪个等，是明太祖朱元璋第十七子宁献王朱权的后代。在朱耷出生前二百二十三年，朱权被封于南昌，这便是青云谱出现在南昌郊外的远期原因。朱权也是一个全能的艺术家，而且也信奉道家，这都与二百多年后的朱耷构成了一种神奇的遥相呼应，但可怜的朱耷已面临着朱家王朝的最后覆没，只能或僧或道，躲在冷僻的地方逃避改朝换代后的政治风雨，用画笔来营造一个孤独的精神小天地了。说起来，处于大明王朝鼎盛时代的朱权也是躲避过的，他因事见疑于明成祖，便躲在自筑的"精庐"中抚琴玩曲。

但相比之下，朱耷的躲避显然是更绝望、更凄楚，因而也更值得后人品味了。

究竟是一个什么样的院落，能给中国艺术史提供那么多的触目的荒凉？究竟是一些什么样的朽木、衰草、败荷、寒江，对应着画家道袍里裹藏的孤傲？我带着这些问题去寻找青云谱，没想到青云谱竟相当热闹。

不仅有汽车站，而且还有个火车小站。当日道院如今成了一个旅游点，门庭若市，园圃葱翠，屋宇敞亮，与我们日常游玩的古典式园林没有什么两样。游客以青年男女居多，他们一般没有在宅内展出的朱耷作品前长久盘桓，而乐于在花丛曲径间款款缓步。突然一对上年岁的华侨夫妇被一群人簇拥着走来，说是朱耷的后代，满面戚容，步履沉重。我不太尊敬地投去一眼，心想，朱耷既做和尚又做道士，使我们对他的婚姻情况很不清楚，后来好像有过一个叫朱抱墟的后人，难道你们真是朱抱墟之后？即便是真的，又是多少代的事啦。

这一切也不能怪谁。有这么多的人来套近乎，热热闹闹地来纪念一位几百年前的孤独艺术家，没有什么不好。庭院既然要整修也只能修得挺刮一点，让拥挤的游客能够行走得比较顺畅。然而无可奈何的是，这个院落之所以显得如此重要的原始神韵完全失落了，朱耷的精神小天地已杳不可见。这对我这样的寻访者来说，毕竟是一种悲哀。

记得年前去四川青城山，以前熟记于心的“青城天下幽”的名言被一支摩肩接踵、喧哗连天的队伍赶得无影无踪。有关那座山的全部联想，有关道家大师们的种种行迹，有关画家张大千的缥缈遐思，也只能随之烟消云散。我至今无法写一篇青城山游记，就是这个原因。幸好关青云谱的联想大多集中在朱耷一人身上。我还可以在人群中牢牢想着他，不至于像在青城山的山道上那样心情烦乱。

没到青云谱来时我也经常想起他。为此，有一年我招收研究生时曾出过一道历史文化方面的知识题："略谈你对八大山人的了解。"一位考生的回答是："中国历史上八位潜迹山林的隐士，通诗文，有傲骨，姓名待考。"

把八大山人说成是八位隐士我倒是有所预料的，这道题目的"圈套"也在这里；把中国所有的隐士一并概括为"通诗文，有傲骨"，十分有趣，至于在考卷上写"待考"，我不禁哑然失笑了。朱耷常把真"八大山人"这个署名连写成"哭之"、"笑之"字样，我想他见到我这位考生也只能哭之笑之的了。

与这位考生一样的对朱耷的隔膜感，我从许多参观者的眼神里也看了出来。他们面对朱耷的作品实在不知道好在哪里，这样潦倒的随意涂抹，与他们平常对美术作品的欣赏习惯差距太大了。中国传统艺术的光辉，十七世纪晚期东方绘画的光辉，难道就闪耀在这些令人丧气的破残笔墨中么？

二

对于中国绘画史，我特别看重晚明至清一段。这与我对其他艺术门类历史发展阶段的评价有很大的差别。朱耷就出现在我特别看重的那个阶段中。

在此前漫长的绘画发展历史上，当然也是大匠如林、佳作叠出，有一连串说不完、道不尽的美的创造，但是，要说到艺术家个体生命的强悍呈现，笔墨丹青对人格内核的直捷外化，就不得不把目光投向徐渭、朱耷、原济以及"扬州八怪"等人了。

毫无疑问，并不是画到了人，画家就能深入地面对人和生命这些根本课题了。中国历史上有过一些很出色的人物画家如顾恺之、阎立本、吴道子、张萱、周昉、顾闳中等等，他们的作品，或线条匀停紧挺，或设色富丽谐洽，或神貌逼真鲜明，我都是很喜欢的，但总的说来，被他们所画的人物与他们自身的生命激情未必有密切的血缘关联。他们强调传神，但主要也是很传神地在描绘着一种异己的著名人物或重要场面，艺术家本人的灵魂历程并不能酣畅地传达出来。在这种情况下，倒是山水、花鸟画更有可能比较曲折地展示画家的内心世界。

山水、花鸟本是人物画的背景和陪衬，当它们独立出来之后一直比较成功地表现了"诗中有画，画中有诗"的美学意境，而在这种意境中又大多溶解着一种隐逸观念，那就触及到了我所关心的人生意识。这种以隐逸观念为主调的人生意识虽然有浓有淡，有枯有荣，而基本走向却比较稳定，长期以来没有太多新的伸发，因此，久而久之，这种意识也就泛化为一种定势，画家们更多的是在笔墨趣味上倾注心力了。

所谓笔墨趣味认真说起来还是一个既模糊又复杂的概念。说低一点，那或许是一种颇感得意的笔墨习惯；说高一点，或许是一种在笔墨间带有整体性的境界、感觉、悟性。在中国古代，凡是像样的画家都会有笔墨趣味的。即便到了现代，国画家中的佼佼者也大抵在或低或高的笔墨趣味间遨游。

这些画家的作品常常因高雅精美而让人叹为观止，但毕竟还缺少一种更强烈、更坦诚的东西，例如像文学中的《离骚》。有没有可能，让艺术家全身心的苦恼、焦灼、挣扎、痴狂在画幅中燃烧，人们可以立即从笔墨、气韵、章法中发现艺术家本人，并且从根本上认识他们，就像欧洲人认识拉斐尔、罗丹和梵高？

很多年以前北京故宫博物院举办过一次历代画展，我在已经看得十分疲倦的情况下突然看到徐渭的一幅葡萄图，精神陡然一震。后来又见到过他的《墨牡丹》、《黄甲图》、《月竹》，以及我很喜欢的《杂花图长卷》。他的生命奔泻出淋漓而又洒泼的墨色与线条，躁动的笔墨后面游动着不驯和无奈。在这里，仅说笔墨趣味就很不够了，仅说气韵生动也太矜持了。

对徐渭我了解得比较多。从小在乡间老人口中经常听"徐文长"的故事，年长后细读了他的全部文集，洗去了有关他的许多不经传说，而对他的印象却愈来愈深。他实在是一个才华横溢、具有充分国际可比性的大艺术家，但人间苦难也真是被他尝尽了。他由超人的清醒而走向孤傲，走向佯狂，直至有时真正的疯痴。他遭遇过复杂的家庭变故，参加过抗倭斗争，又曾惶恐于政治牵连。他曾自撰墓志铭，九次自杀而未死。他还误杀过妻子，坐过六年多监狱。他厌弃人世、厌弃家庭、厌弃自身，但他又多么清楚自己在文化艺术史上的千古重量，这就产生了特别残酷、也特别响亮的生命冲撞。浙江的老百姓凭着直觉感触到了他的生命温度，把他作为几百年的谈资。老百姓主要截取了他佯狂的一面来作滑稽意义上的衍伸，而实际上他的佯狂背后埋藏的都是悲剧性的激潮。在中国古代画家中，人生经历像徐渭这样凄厉的人不多，即便有，也没有能力把它幻化为一幅幅生命本体悲剧的色彩和线条。

明确延续着这种在中国绘画史上很少见到的强烈悲剧意识的，

便是朱耷。他具体的遭遇没有徐渭那样惨，但作为已亡的大明皇室的后裔，他的悲剧性感悟却比徐渭多了一个更寥廓的层面。他的天地全都沉沦，只能在纸幅上拼接一些枯枝、残叶、怪石来张罗出一个个地老天荒般的残山剩水，让一些孤独的鸟，怪异的鱼暂时躲避。这些鸟鱼完全挣脱了秀美的美学范畴，而是夸张地袒露其丑，以丑直锲人心，以丑傲视甜媚。它们是秃陋的，畏缩的，不想惹人，也不想发出任何音响的，但它们却都有一副让整个天地都为之一寒的白眼，冷冷地看着，而且把这冷冷地看当作了自身存在的目的。它们似乎又是木讷的，老态的，但从整个姿势看又隐含着一种极度的敏感，它们会飞动，会游弋，会不声不响地突然消失。毫无疑问，这样的物象也都走向了一种整体性的象征。

中国画平素在表现花鸟虫兽时也常常讲究一点象征，牡丹象征什么，梅花象征什么，喜鹊象征什么，老虎象征什么，这是一种层次较低的符号式对应，每每堕入陈词滥调，为上品格的画家们所鄙弃，例如韩幹笔下的马，韩滉笔下的牛就并不象征什么。但是，更高品位的画家却会去追求一种整体性的氛围象征，这是强烈的精神能量要求在画幅物象中充分直观所必然导致的要求。朱耷的鸟并不具体在影射和对应着什么人，却分明有一种远远超越自然鸟的功能，与残山剩水一起指向一种独特的精神气氛。面对朱耷的画，人们的内心会不由自主地产生一阵寒噤。

比朱耷小十几岁的原济也是明皇室后裔，用他自己的诗句来说，他与朱耷都是“金枝玉叶老遗民”。人们对他比较常用的称呼是石涛、大涤子、苦瓜和尚等。他虽与朱耷很要好，心理状态却有很大不同，精神痛苦没有朱耷那么深，很重要的一个原因是他与更广阔的自然有了深入接触，悲剧意识有所泛化。但是，当这种悲剧意识泛化到他的山水笔墨中时，一种更具有普遍意义的美学风格也就蔚成气候。沉郁苍茫，奇险奔放，满眼躁动，满耳流荡，这就使他与朱耷等人一起与当时一度成为正统的“四王”（即王时敏、王鉴、王翚、王原祁）潮流形成鲜明对照，构成了很强大的时代性冲撞。有他们在，不仅是“四王”，其他中国绘画史上种种保守、因袭、精雅、空洞的画风都成了一种萎弱的存在，一对比，在总体上显得平庸。

徐渭、朱耷、原济这些人，对后来著名的“扬州八怪”影响极大，再后来又滋养了吴昌硕和齐白石等现代画家。中国画的一个新生代的承续系列，就这样构建起来了。我深信这是中国艺术史上最有生命力的激流之一，也是中国人在明清之际的一种骄傲。

齐白石在一幅画的题字上写的一段话使我每次想起都心头一热，他说：

> 青藤（即徐渭）、雪个（即朱耷）、大涤子（即原济）之画，能横涂纵抹，余心极服之。恨不生前三百年，或为诸君磨墨理纸，诸君不纳，余于门之外饿而不去，亦快事也。

早在齐白石之前，郑燮（板桥）就刻过一个自用印章，其文为：

> 青藤门下走狗

这两件事，说起来都带有点疯痴劲头，而实际上却道尽了这股艺术激流在中国绘画史上是多么珍罕，多么难于遇见又多么让人激动。

世界上没有其他可能会如此折服本也不无孤傲的郑板桥和齐白石，除了以笔墨做媒介的一种生命与生命之间的强力诱惑。为了朝拜一种真正值得朝拜的艺术生命，郑、齐两位连折辱自己的生命也在所不惜了。他们都是乡间穷苦人家出身，一生为人质朴，绝不会花言巧语。

三

我在青云谱的庭院里就这样走走想想，也消磨了大半天时间。面对着各色不太懂画、也不太懂朱耷的游人，我想，事情的症结还在于我们没有很多强健的现代画家去震撼这些游人，致使他们常常过着一种缺少艺术激动的生活，因此也渐渐与艺术的过去和现在一并疏离起来。因此说到底还是艺术首先疏离了他们。什么时候我们身边能再出几个像徐渭这样的画家，他们或悲或喜的生命信号照亮了广阔的天域，哪怕再不懂艺术的老百姓也由衷地热爱他们，编出各种故事来代代相传？或者像朱耷这样，只冷冷地躲在一边画着，而几百年后的大师们却想倒赶过来做他的仆人？

全国各地历史博物馆和古代艺术家纪念馆中熙熙攘攘的游客，每时每刻都有可能汇成涌向某个现代艺术家的欢呼激潮。现代艺术家在哪里？请从精致入微的笔墨趣味中再往前迈一步吧，人民和历史最终接受的，是坦诚而透彻的生命。

白发苏州

一

前些年，美国刚刚庆祝过建国二百周年。洛杉矶奥运会的开幕式把他们两个世纪的历史表演得辉煌壮丽。前些天，澳大利亚又在庆祝他们的二百周年，海湾里千帆竞发，确实也激动人心。

与此同时，我们的苏州城，却悄悄地过了自己二千五百周年的生日。时间之长，简直有点让人发晕。

入夜，苏州人穿过二千五百年的街道，回到家里，观看美国和澳大利亚国庆的电视转播。窗外，古城门藤葛垂垂，虎丘塔隐入夜空。

在清理河道，说要变成东方的威尼斯。这些河道船楫如梭的时候，威尼斯还是荒原一片。

二

苏州是我常去之地。海内美景多得是，惟苏州，能给我一种真正的休憩。柔婉的言语，姣好的面容，精雅的园林，幽深的街道，处处给人以感官上的宁静和慰藉。现实生活常常搅得人心志烦乱，那么，苏州无数的古迹会让你熨贴着历史定一定情怀。有古迹必有题咏，大多是古代文人超迈的感叹，读一读，那种鸟瞰历史的达观又能把你心头的皱褶慰抚得平平展展。看得多了，也便知道，这些文人大多也是到这里休憩来的。他们不想在这儿创建伟业，但在事成事败之后，却愿意到这里来走走。苏州，是中国文化宁谧的后院。

做了那么长时间的后院，我有时不禁感叹，苏州在中国文化史上的地位是不公平的。历来很有一些人，在这里吃饱了，玩足了，风雅够了，回去就写鄙薄苏州的文字。京城史官的眼光，更是很少在苏州停驻。直到近代，吴侬软语与玩物丧志同义。

理由是简明的：苏州缺少金陵王气。这里没有森然殿阙，只有园林。这里摆不开战场，徒造了几座城门。这里的曲巷通不过堂皇的官轿，这里的民风不崇拜肃杀的禁令。这里的流水太清，这里的桃花太艳，这里的弹唱有点撩人。这里的小食太甜，这里的女人太俏，这里的茶馆太多，这里的书肆太密，这里的书法过于流丽，这里的绘画不够苍凉遒劲，这里的诗歌缺少易水壮士低哑的喉音。

于是，苏州，背负着种种罪名，默默地端坐着，迎来送往，安分度日。却也不愿重整衣冠，去领受那份王气。反正已经老了，去吃那种追随之苦作甚？

三

说来话长，苏州的委屈，两千多年前已经受了。

当时正是春秋晚期，苏州一带的吴国和浙江的越国打得难分难解。其实吴、越本是一家，两国的首领都是外来的冒险家。先是越王勾践把吴王阖闾打死，然后又是继任的吴王夫差击败勾践。勾践利用计谋卑怯称臣，实际上发愤图强，终于在廿年后卷土重来，成了春秋时代最后一个霸主。这事在中国差不多人所共知，原是一场分不清是非的混战，可惜后人只欣赏勾践的计谋和忍耐，嘲笑夫差的该死。千百年来，勾践的首府会稽，一直被称颂为“报仇雪耻之乡”，那末苏州呢，当然是亡国亡君之地。

细想吴越混战，最苦的是苏州百姓。吴越间打的几次大仗，有两次是野外战斗，一次在嘉兴南部，一次在太湖洞庭山，而第三次，则是勾践攻陷苏州，所遭惨状一想便知。早在勾践用计期间，苏州人也连续遭殃。勾践用煮过的稻子上贡吴国，吴国用以撒种，颗粒无收，灾荒由苏州人民领受；勾践怂恿夫差享乐，亭台楼阁建造无数，劳役由苏州人民承担。最后，亡国奴的滋味，又让苏州人民品尝。

传说勾践计谋中还有重要一项，就是把越国的美女西施进献给夫差，诱使夫差荒淫无度，慵理国事。计成，西施却被家乡来的官员投沉江中，因为她已与“亡国”二字相连，霸主最为忌讳。

苏州人心肠软，他们不计较这位姑娘给自己带来过多大的灾害，只觉得她可怜，真真假假地留着她的大量遗迹来纪念。据说今日苏州西郊灵岩山顶的灵岩寺，便是当初西施居住的所在，吴王曾名之“馆娃宫”。灵岩山是苏州一大胜景，游山时若能遇到几位热心的苏州老者，他们还会细细告诉你，何处是西施洞，何处是西施迹，何处是玩月池，何处是吴王井，处处与西施相关。正当会稽人不断为报仇雪耻的传统而自豪的时候，他们派出的西施姑娘却长期地躲避在对方的山巅。你做王他做王，管它亡不亡，苏州人不大理睬。这也就注定了历代帝王对苏州很少垂盼。

苏州人甚至还不甘心于西施姑娘被人利用后又被沉死的悲剧。明代梁辰鱼(苏州东邻昆山人)作《浣纱记》,让西施完成任务后与原先的情人范蠡泛舟太湖而隐遁。这确实是善良的,但这么一来,又产生了新的麻烦。这对情人既然原先已经爱深情笃,那么西施后来在吴国的奉献就太与人性相背。

前不久一位苏州作家给我看他的一部新作,写勾践灭吴后,越国正等着女英雄西施凯旋,但西施已经真正爱上了自己的夫君吴王夫差,甘愿陪着他一同流放边荒。

又有一位江苏作家更是奇想妙设,写越国隆重欢迎西施还乡的典礼上,人们看见,这位女主角竟是怀孕而来。于是,如何处置这个还未出生的吴国孽种,构成了一场政治、人性的大搏战。许多怪诞的境遇,接踵而来。

可怜的西施姑娘,到今天,终于被当作一个人,一个女性,一个妻子和母亲,让后人细细体谅。

我也算一个越人吧,家乡曾属会稽郡管辖。无论如何,我钦佩苏州的见识和度量。

四

吴越战争以降,苏州一直没有发出太大的音响。千年易过,直到明代,苏州突然变得坚挺起来。

对于遥远京城的腐败统治,竟然是苏州人反抗得最为厉害。先是苏州织工大暴动,再是东林党人反对魏忠贤,朝廷特务在苏州逮捕东林党人时,遭到苏州全城的反对。柔婉的苏州人这次是提着脑袋、踏着血泊冲击,冲击的对象,是皇帝最信任的"九千岁"。"九千岁"的事情，最后由朝廷主子的自然更替解决，正当朝野上下齐向京城欢呼谢恩的时候，苏州人只把五位抗争时被杀的普通市民，立了墓碑，葬在虎丘山脚下，让他们安享山色和夕阳。

这次浩荡突发，使整整一部中国史都对苏州人另眼相看。这座古城怎么啦？脾性一发让人再也认不出来。说他们含而不露，说他们忠奸分明，说他们报效朝廷，苏州人只笑一笑，又去过原先的日子。园林依然这样纤巧，桃花依然这样灿烂。

明代的苏州人，可享受的东西多得很。他们有一大批才华横溢的戏曲家，他们有盛况空前的虎丘山曲会，他们还有了唐伯虎和仇英的绘画。到后来，他们又有了一个金圣叹。

如此种种，又让京城的文化官员皱眉。轻柔悠扬，潇洒倜傥，放浪不驯，艳情漫漫，这似乎又不是圣朝气象。就拿那个名声最坏的唐伯虎来说吧，自称江南第一才子，也不干什么正事，也看不起大小官员，风流落拓，高高傲傲，只知写诗作画，不时拿几幅画到街上出卖。

不炼金丹不坐禅，
不为商贾不耕田，
闲来写幅青山卖，
不使人间造孽钱。

这样过日子，怎么不贫病而死呢！然而苏州人似乎挺喜欢他，亲亲热热叫他唐解元，在他死后把桃花庵修葺保存，还传播一个“三笑”故事让他多一桩艳遇。

唐伯虎是好是坏我们且不去论他。无论如何，他为中国增添了几页非官方文化。人品、艺品的平衡木实在让人走得太累，他有权利躲在桃花丛中做一个真正的艺术家。中国这么大，历史这么长，有几个才子型、浪子型的艺术家怕什么？深紫的色彩层层涂抹，够沉重了，涂几笔浅红淡绿，加几分俏皮洒泼，才有活气，才有活活泼泼的中国文化。

真正能够导致亡国的远不是这些才子艺术家。你看大明亡后，惟有苏州才子金圣叹哭声震天，他因痛哭而被杀。

近年苏州又重修了唐伯虎墓，这是应该的，不能让他们老这么委屈着。

五

一切都已过去了，不提也罢。现在我只困惑，人类最早的城邑之一，会不会、应不应淹没在后生晚辈的竞争之中？

山水还在，古迹还在，似乎精魂也有些许留存。最近一次去苏州，重游寒山寺，撞了几下钟，因俞樾题写的诗碑而想到曲园。曲园为新开，因有平伯先生等后人捐赠，原物原貌，适人心怀。曲园在一条狭窄的小巷里，由于这个普通门庭的存在，苏州一度成为晚清国学重镇。当时的苏州十分沉静，但无数的小巷中，无数的门庭里，藏匿着无数厚实的灵魂。正是这些灵魂，千百年来，以积聚久远的固执，使苏州保存了风韵的核心。

漫步在苏州的小巷中是一种奇特的经验。一排排鹅卵石，一级级台阶，一座座门庭，门都关闭着，让你去猜想它的蕴藏，猜想它以前、很早以前的主人。想得再奇也不要紧，二千五百年的时间，什么事情都可能发生。

如今的曲园，辟有一间茶室。巷子太深，门庭太小，茶客不多。但一听他们的谈论，却有些怪异。阵阵茶香中飘出一些名字，竟有戴东原、王念孙、焦理堂、章太炎、胡适之。茶客上了年纪，皆操吴侬软语，似有所争执，又继以笑声。几个年轻的茶客听着吃力，呷一口茶，清清嗓子，开始高声谈论陆文夫的作品。

未几，老人们起身了，他们在门口拱手作揖，转过身去，消失在狭狭的小巷里。

我也沿着小巷回去。依然是光光的鹅卵石，依然是座座关闭的门庭。

我突然有点害怕，怕哪个门庭突然打开，涌出来几个人：再是长髯老者，我会既满意又悲凉，若是时髦青年，我会既高兴又不无遗憾。

该是什么样的人？我一时找不到答案。

卷二

风雨天一阁

废　墟

一

我诅咒废墟，我又寄情废墟。

废墟吞没了我的企盼、我的记忆。片片瓦砾散落在荒草之间，断残的石柱在夕阳下站立，书中的记载，童年的幻想，全在废墟中殒灭。昔日的光荣成了嘲弄，创业的祖辈在寒风中声声咆哮。夜临了，什么没有见过的明月苦笑一下，躲进云层，投给废墟一片阴影。

但是，代代层累并不是历史。废墟是毁灭、是葬送、是诀别、是选择。时间的力量，理应在大地上留下痕迹；岁月的巨轮，理应在车道间辗碎凹凸。没有废墟就无所谓昨天，没有昨天就无所谓今天和明天。废墟是课本，让我们把一门地理读成历史；废墟是过程，人生就是从旧的废墟出发，走向新的废墟。营造之初就想到它今后的凋零，因此废墟是归宿；更新的营造以废墟为基地，因此废墟是起点。废墟是进化的长链。

一位朋友告诉我，一次，他走进一个著名的废墟，才一抬头，已是满目眼泪。这眼泪的成份非常复杂。是憎恨,是失落,又不完全是。废墟表现出固执,活像一个残疾了的悲剧英雄。废墟昭示着沧桑,让人偷窥到民族步履的蹒跚。废墟是垂死老人发出的指令,使你不能不动容。

废墟有一种形式美,把拔离大地的美转化为皈附大地的美。再过多少年,它还会化为泥土,完全融入大地。将融未融的阶段,便是废墟。母亲微笑着怂恿过儿子们的创造,又微笑着收纳了这种创造。母亲怕儿子们过于劳累,怕世界上过于拥塞。看到过秋天的飘飘黄叶吗?母亲怕它们冷,收入怀抱。没有黄叶就没有秋天,废墟是建筑的黄叶。

人们说,黄叶的意义在于哺育春天。我说,黄叶本身也是美。

二

不能设想,古罗马的角斗场需要重建,庞贝古城需要重建,柬埔寨的吴哥窟需要重建,玛雅文化遗址需要重建。

这就像不能设想,远年的古铜器需要抛光,出土的断戟需要镀镍,宋版图书需要上塑,马王堆的汉代老太需要植皮丰胸、重施浓妆。

只要历史不阻断,时间不倒退,一切都会衰老。老就老了吧,安详地交给世界一副慈祥美。假饰天真是最残酷的自我糟践。没有皱纹的祖母是可怕的,没有白发的老者是让人遗憾的。没有废墟的人生太累了,没有废墟的大地太挤了,掩盖废墟的举动太伪诈了。

还历史以真实,还生命以过程。

——这就是人类的大明智。

当然，并非所有的废墟都值得留存。否则地球将会伤痕斑斑。废墟是古代派往现代的使节，经过历史的挑剔和筛选。废墟是祖辈曾经发动过的壮举，会聚着当时的力量和精粹。废墟是一个磁场，一极古代，一极现代，心灵的罗盘在这里感应强烈。失去了磁力就失去了废墟的生命，它很快就会被人们淘汰。

并非所有的修缮都属于荒唐。小心翼翼地清理，不露痕迹地加固，全部劳作的终点，是使它更成为一个名副其实的废墟，一个人人都愿意凭吊的废墟。修缮，总意味着一定程度的损坏。把损坏降到最低度，是一切真正的废墟修缮家的夙愿。也并非所有的重建都需要否定。如果连废墟也没有了，重建一个来实现现代人吞古纳今的宏志，那又何妨。但是，那只是现代建筑家的古典风格，沿用一个古名，出于幽默。黄鹤楼重建了，可以装电梯；阿房宫若重建，可以作宾馆；滕王阁若重建，可以辟商场。这与历史，干系不大。如果既有废墟，又要重建，那么，我建议，保留废墟，傍邻重建。在废墟上开推土机，让人心痛。

总之，不管是修缮还是重建，对废墟来说，要义在于保存。圆明园废墟是北京城最有历史感的文化遗迹之一，如果把它完全铲平，造一座崭新的圆明园，多么得不偿失。大清王朝不见了，熊熊火光不见了，民族的郁忿不见了，历史的感悟不见了，抹去了昨夜的故事，去收拾前夜的残梦。但是收拾来的又不是前夜残梦，只是今日的游戏。

三

中国历来缺少废墟文化。废墟二字，在中文中让人心惊肉跳。

在中国人心中留下一些空隙吧！让古代留几个脚印在现代，让现代心平气和地逼视着古代。废墟不值得羞愧，废墟不必要遮盖，我们太擅长遮盖。

中国历史充满了悲剧，但中国人怕看真正的悲剧。最终都有一个大团圆，以博得情绪的安慰，心理的满足。惟有屈原不想大团圆，杜甫不想大团圆，曹雪芹不想大团圆，孔尚任不想大团圆，鲁迅不想大团圆，白先勇不想大团圆。他们保存了废墟，净化了悲剧，于是也就出现了一种真正深沉的文学。

没有悲剧就没有悲壮，没有悲壮就没有崇高。雪峰是伟大的，因为满坡掩埋着登山者的遗体；大海是伟大的，因为处处漂浮着船楫的残骸；登月是伟大的，因为有“挑战者号”的殒落；人生是伟大的，因为有白发，有诀别，有无可奈何的失落。古希腊傍海而居，无数向往彼岸的勇士在狂波间前仆后继，于是有了光耀百世的希腊悲剧。

诚恳坦然地承认奋斗后的失败，成功后的失落，我们只会更沉着。中国人若要变得大气，不能再把所有的废墟驱逐。

四

废墟的留存，是现代人文明的象征。

废墟，辉映着现代人的自信。

废墟不会阻遏街市，妨碍前进。现代人目光深邃，知道自己站在历史的第几级台阶。他不会妄想自己脚下是一个拔地而起的高台。因此，他乐于看看身前身后的所有台阶。

只有现代的喧嚣中，废墟的宁静才有力度；只有在现代人的沉思中，废墟才能上升为寓言。

因此，古代的废墟，实在是一种现代构建。

现代，不仅仅是一截时间。现代是宽容，现代是气度，现代是辽阔，现代是浩瀚。

我们，挟带着废墟走向现代。

风雨天一阁

一

不知怎么回事，天一阁对于我，一直有一种奇怪的阻隔。照理，我是读书人，它是藏书楼，我是宁波人，它在宁波城，早该频频往访的了，然而却一直不得其门而入。一九七六年春到宁波养病，住在我早年的老师盛钟健先生家。盛先生一直有心设法把我弄到天一阁里去看一段时间书，但按当时的情景，手续颇烦人，我也没有读书的心绪，只得作罢。后来情况好了，宁波市文化艺术界的朋友们总要定期邀我去讲点课，但我每次都是来去匆匆，始终没有去过天一阁。

是啊，现在大批到宁波作几日游的普通上海市民回来都在大谈天一阁，而我这个经常钻研天一阁藏本重印书籍、对天一阁的变迁历史相当熟悉的人却从未进过阁，实在说不过去。直到一九九〇年八月我再一次到宁波讲课，终于在讲完的那一天支支吾吾地向主人提出了这个要求。主人是文化局副局长裴明海先生，天一阁正属他管辖，在对我的这个可怕缺漏大吃一惊之余立即决定，明天由他亲自陪同，进天一阁。

但是，就在这天晚上，台风袭来，暴雨如注，整个城市都在柔弱地颤抖。第二天上午如约来到天一阁时，只见大门内的前后天井、整个院子全是一片汪洋。打落的树叶在水面上翻卷，重重砖墙间透出湿冷冷的阴气。

看门的老人没想到文化局长会在这样的天气陪着客人前来，慌忙从清洁工人那里借来半高统雨鞋要我们穿上，还递来两把雨伞。但是，院子里积水太深，才下脚，鞋统已经进水，惟一的办法是干脆脱掉鞋子，挽起裤管蹚水进去。本来浑身早已被风雨搅得冷飕飕的了，赤脚进水立即通体一阵寒噤。就这样，我和裴明海先生相扶相持，高一脚低一脚地向藏书楼走去。天一阁，我要靠近前去怎么这样难呢？明明已经到了跟前，还把风雨大水作为最后一道屏障来阻拦。我知道，历史上的学者要进天一阁看书是难乎其难的事，或许，我今天进天一阁也要在天帝的主持下举行一个狞厉的仪式？

天一阁之所以叫天一阁，是创办人取《易经》中“天一生水”之义，想借水防火，来免去历来藏书者最大的忧患火灾。今天初次相见，上天分明将“天一生水”的奥义活生生地演绎给了我看，同时又逼迫我以最虔诚的形貌投入这个仪式，剥除斯文，剥除参观式的悠闲，甚至不让穿着鞋子踏入圣殿，背躬曲膝、哆哆嗦嗦地来到跟前。今天这里再也没有其他参观者，这一切岂不是一种超乎寻常的安排？

二

不错，它只是一个藏书楼，但它实际上已成为一种极端艰难、又极端悲怆的文化奇迹。

中华民族作为世界上最早进入文明的人种之一，让人惊叹地创造了独特而美丽的象形文字，创造简帛，然后又顺理成章地创造了纸和印刷术。这一切，本该迅速地催发出一个书籍海洋，把壮阔的华夏文明播扬翻腾。但是，野蛮的战火几乎不间断地在焚烧着脆薄的纸页，无边的愚昧更是在时时吞食着易碎的智慧。一个为写书、印书创造好了一切条件的民族竟不能堂而皇之地拥有和保存很多书，书籍在这块土地上始终是一种珍罕而又陌生的怪物，于是，这个民族的精神天地长期处于散乱状态和自发状态，它常常不知自己从哪里来，到哪里去，自己究竟是谁，要干什么。

只要是智者，就会为这个民族产生一种对书的企盼。他们懂得，只有书籍，才能让这么悠远的历史连成缆索，才能让这么庞大的人种产生凝聚，才能让这么广阔的土地长存文明的火种。很有一些文人学士终年辛劳地以抄书、藏书为业，但清苦的读书人到底能藏多少书，而这些书又何以保证历几代而不流散呢？“君子之泽，五世而斩”，功名资财、良田巍楼尚且如此，更遑论区区几箱书？宫廷当然有不少书，但在清代之前，大多构不成整体文化意义上的藏书规格，又每每毁于改朝换代之际，是不能够去指望的。鉴于这种种情况，历史只能把藏书的事业托付给一些非常特殊的人物了。这种人必得长期为官，有足够的资财可以搜集书籍；这种人为官又最好各地迁移，使他们有可能搜集到散落四处的版本；这种人必须有极高的文化素养，对各种书籍的价值有迅捷的敏感；这种人必须有清晰的管理头脑，从建藏书楼到设计书橱都有精明的考虑，从借阅规则到防火措施都有周密的安排；这种人还必须有超越时间的深入谋划，对如何使自己的后代把藏书保存下去有预先的构想。当这些苛刻的条件全都集于一身时，他才有可能成为古代中国的一名藏书家。

这样的藏书家委实也是出过一些的，但没过几代，他们的事业都相继萎谢。他们的名字可以写出长长一串，但他们的藏书却早已流散得一本不剩了。那么，这些名字也就组合成了一种没有成果的努力，一种似乎实现过而最终还是未能实现的悲剧性愿望。

能不能再出一个人呢，哪怕仅仅是一个，他可以把上述种种苛刻的条件提升得更加苛刻，他可以把管理、保存、继承诸项关节琢磨到极端，让偌大的中国留下一座藏书楼，一座，只是一座！上天，可怜可怜中国和中国文化吧。

这个人终于有了，他便是天一阁的创建人范钦。

清代乾嘉时期的学者阮元说："范氏天一阁，自明至今数百年，海内藏书家，惟此岿然独存。"

这就是说，自明至清数百年广阔的中国文化界所留下的一部分书籍文明，终于找到了一所可以稍加归拢的房子。

明以前的漫长历史，不去说它了，明以后没有被归拢的书籍，也不去说它了，我们只向这座房子叩个头致谢吧，感谢它为我们民族断残零落的精神史，提供了一个小小的栖脚处。

三

范钦是明代嘉靖年间人，自二十七岁考中进士后开始在全国各地做官，到的地方很多，北至陕西、河南，南至两广、云南，东至福建、江西，都有他的宦迹。最后做到兵部右侍郎，官职不算小了。这就为他的藏书提供了充裕的财力基础和搜罗空间。在文化资料十分散乱又没有在这方面建立起像样的文化市场的当时，官职本身也是搜集书籍的重要依凭。他每到一地做官，总是非常留意搜集当地的公私刻本，特别是搜集其他藏书家不甚重视、或无力获得的各种地方志、正书、实录以及历科试士录，明代各地仕人刻印的诗文集，本是很容易成为过眼烟云的东西，他也搜得不少。这一切，光有搜集的热心和资财就不够了。乍一看，他是在公务之暇把玩书籍，而事实上他已经把人生的第一要务看成是搜集图书，做官倒成了业余，或者说，成了他搜集图书的必要手段。他内心隐潜着的轻重判断是这样，历史的宏观裁断也是这样。好像历史要当时的中国出一个藏书家，于是把他放在一个颠簸九州的官位上来成全他。

一天公务，也许是审理了一宗大案，也许是弹劾了一名贪官，也许是调停了几处官场恩怨，也许是理顺了几项财政关系，衙堂威仪，朝野声誉，不一而足。然而他知道，这一切的重量加在一起也比不过傍晚时分差役递上的那个薄薄的蓝布包袱，那里边几册按他的意思搜集来的旧书，又要汇入行箧。他那小心翼翼翻动书页的声音，比开道的鸣锣和吆喝都要响亮。

范钦的选择，碰撞到了我近年来特别关心的一个命题：基于健全人格的文化良知，或者倒过来说，基于文化良知的健全人格。没有这种东西，他就不可能如此矢志不移，轻常人之所重，重常人之所轻。他曾毫不客气地顶撞过当时在朝廷权势极盛的皇亲郭勋，因而遭到廷杖之罚，并下过监狱。后来在仕途上仍然耿直不阿，公然冒犯权奸严氏家族，严世蕃想加害于他，而其父严嵩却说："范钦是连郭勋都敢顶撞的人，你参了他的官，反而会让他更出名。"结果严氏家族竟奈何范钦不得。我们从这些事情可以看到，一个成功的藏家在人格上至少是一个强健的人。

这一点我们不妨把范钦和他身边的其他藏书家作个比较。与范钦很要好的书法大师丰坊也是一个藏书家，他的字毫无疑问要比范钦写得好，一代书家董其昌曾非常钦佩地把他与文征明并列，说他们两人是“墨池董狐”，可见在整个中国古代书法史上，他也是一个耀眼的星座。他在其他不少方面的学问也超过范钦，例如他的专著《五经世学》，就未必是范钦写得出来的。但是，作为一个地道的学者艺术家，他太激动，太天真，太脱世，太不考虑前后左右，太随心所欲。起先他也曾狠下一条心变卖掉家里的千亩良田来换取书法名帖和其他书籍，在范钦的天一阁还未建立的时候他已构成了相当的藏书规模，但他实在不懂人情世故，不懂口口声声尊他为师的门生们也可能是巧取豪夺之辈，更不懂得藏书楼防火的技术，结果他的全部藏书到他晚年已有十分之六被人拿走，又有一大部分毁于火灾，最后只得把剩余的书籍转售给范钦。范钦既没有丰坊的艺术才华，也没有丰坊的人格缺陷，因此，他以一种冷峻的理性提炼了丰坊也会有的文化良知，使之变成一种清醒的社会行为。相比之下，他的社会人格比较强健，只有这种人才能把文化事业管理起来。太纯粹的艺术家或学者在社会人格上大多缺少旋转力，是办不好这种事情的。

另一位可以与范钦构成对比的藏书家正是他的侄子范大澈。范大澈从小受叔父影响，不少方面很像范钦，例如他为官很有能力，多次出使国外，而内心又对书籍有一种强烈的癖好；他学问不错，对书籍也有文化价值上的裁断力，因此曾被他搜集到一些重要珍本。他藏书，既有叔父的正面感染，也有叔父的反面刺激。据说有一次他向范钦借书而范钦不甚爽快，便立志自建藏书楼来悄悄与叔父争胜，历数年努力而楼成，他就经常邀请叔父前去作客，还故意把一些珍贵秘本放在案上任叔父随意取阅。遇到这种情况，范钦总是淡淡的一笑而已。在这里，叔侄两位藏书家的差别就看出来了。侄子虽然把事情也搞得很有样子，但背后却隐藏着一个意气性的动力，这未免有点小家子气了。在这种情况下，他的终极性目标是很有限的，只要把楼建成，再搜集到叔父所没有的版本，他就会欣然自慰。结果，这位作为后辈新建的藏书楼只延续几代就合乎逻辑地流散了，而天一阁却以一种怪异的力度屹立着。

实际上，这也就是范钦身上所支撑着的一种超越意气、超越嗜好、超越才情，因此也超越时间的意志力。这种意志力在很长时间内的表现常常让人感到过于冷漠、严峻，甚至不近人情，但天一阁就是靠着它延续至今的。

四

藏书家遇到的真正麻烦大多是在身后，因此，范钦面临的问题是如何把自己的意志力变成一种不可动摇的家族遗传。不妨说，天一阁真正堪称悲壮的历史，开始于范钦死后。我不知道保住这座楼的使命对范氏家族来说算是一种荣幸，还是一场延绵数百年的苦役。

活到八十高龄的范钦终于走到了生命尽头，他把大儿子和二儿媳妇（二儿子已亡故）叫到跟前，安排遗产继承事项。老人在弥留之际还给后代出了一个难题，他把遗产分成两份，一份是万两白银，一份是一楼藏书，让两房挑选。

这是一种非常奇怪的遗产分割法。万两白银立即可以享用，而一楼藏书则除了沉重的负担没有任何享用的可能，因为范钦本身一辈子的举止早已告示后代，藏书绝对不能有一本变卖，而要保存好这些藏书每年又要支付一大笔费用。为什么他不把保存藏书的责任和万两白银都一分为二让两房一起来领受呢？为什么他要把权利和义务分割得如此彻底要后代选择呢？

我坚信这种遗产分割法老人已经反复考虑了几十年。实际上这是他自己给自己出的难题：要么后代中有人义无返顾、别无他求地承担艰苦的藏书事业，要么只能让这一切都随自己的生命烟消云散！他故意让遗嘱变得不近情理，让立志继承藏书的一房完全无利可图。因为他知道这时候只要有一丝掺假，再隔几代，假的成分会成倍地扩大，他也会重蹈其他藏书家的复辙。他没有丝毫意思想讥赖或鄙薄要继承万两白银的那一房，诚实地承认自己没有承接这项历史性苦役的信心，总比在老人病榻前不太诚实的信誓旦旦好得多。但是，毫无疑问，范钦更希望在告别人世的最后一刻听到自己企盼了几十年的声音。他对死神并不恐惧，此刻却不无恐惧地直视着后辈的眼睛。

大儿子范大冲立即开口，他愿意继承藏书楼，并决定拨出自己的部分良田，以田租充当藏书楼的保养费用。

就这样，一场没完没了接力赛开始了。多少年后，范大冲也会有遗嘱，范大冲的儿子又会有遗嘱……后一代的遗嘱比前一代还要严格。藏书的原始动机越来越远，而家族的繁衍却越来越大，怎么能使后代众多支脉的范氏世谱中每一家每一房都严格地恪守先祖范钦的规范呢？这实在是一个值得我们一再品味的艰难课题。在当时，一切有历史跨度的文化事业只能交付给家族传代系列，但家族传代本身却是一种不断分裂、异化、自立的生命过程。让后代的后代接受一个需要终生投入的强硬指令，是十分违背生命的自在状态的；让几百年之后的后裔不经自身体验就来沿袭几百年前某位祖先的生命冲动，也难免有许多憋气的地方。不难想像，天一阁藏书楼对于许多范氏后代来说几乎成了一个宗教式的朝拜对象，只知要诚惶诚恐地维护和保存，却不知是为什么。按照今天的思维习惯，人们会在高度评价范氏家族的丰功伟绩之余随之揣想他们代代相传的文化自觉，其实我可肯定此间埋藏着许多难以言状的心理悲剧和家族纷争，这个在藏书楼下生活了几百年的家族非常值得同情。

后代子孙免不了会产生一种好奇，楼上究竟是什么样的呢？到底有哪些书，能不能借来看看？亲戚朋友更会频频相问，作为你们家族世代供奉的这个秘府，能不能让我们看上一眼呢？

范钦和他的继承者们早就预料到这种可能，而且预料藏书楼就会因这种点滴可能而崩坍，因而已经预防在先。他们给家族制定了一个严格的处罚规则，处罚内容是当时视为最大屈辱的不予参加祭祖大典，因为这种处罚意味着在家族血统关系上亮出了“黄牌”，比杖责鞭笞之类还要严重。处罚规则标明：子孙无故开门入阁者，罚不与祭三次；私领亲友入阁及擅开书橱者，罚不与祭一年；擅将藏书借出外房及他姓者，罚不与祭三年，因而典押事故者，除追惩外，永行摈逐，不得与祭。

在此，必须讲到那个我每次想起都很难过的事件了。嘉庆年间，宁波知府丘铁卿的内侄女钱绣芸是一个酷爱诗书的姑娘，一心想要登天一阁读点书，竟要知府作媒嫁给了范家。现代社会学家也许会责问钱姑娘你究竟是嫁给书还是嫁给人，但在我看来，她在婚姻很不自由的时代既不看重钱也不看重势，只想借着婚配来多看一点书，总还是非常令人感动的。但她万万没有想到，当自己成了范家媳妇之后还是不能登楼，一种说法是族规禁止妇女登楼，另一种说法是她所嫁的那一房范家后裔在当时已属于旁支。反正钱绣芸没有看到天一阁的任何一本书，郁郁而终。

今天，当我抬起头来仰望天一阁这栋楼的时候，首先想到是钱绣芸那忧郁的目光。我几乎觉得这里可出一个文学作品了，不是写一般的婚姻悲剧，而是写在那很少有人文主义气息的中国封建社会里，一个姑娘的生命如何强韧而又脆弱地与自己的文化渴求周旋。

从范氏家族的立场来看，不准登楼，不准看书，委实也出于无奈。只要开放一条小缝，终会裂成大隙。但是，永远地不准登楼，不准看书，这座藏书楼存在于世的意义又何在呢？这个问题，每每使范氏家族陷入困惑。

范氏家族规定，不管家族繁衍到何等程度，开阁门必得各房一致同意。阁门的钥匙和书橱的钥匙由各房分别掌管，组成一环也不可缺少的连环，如果有一房不到是无法接触到任何藏书的。既然每房都能有效地行使否决权，久而久之，每房也都产生了终极性的思考：被我们层层叠叠堵住了门的天一阁究竟是干什么用的？

就在这时，传来消息，大学者黄宗羲先生要想登楼看书！这对范家各房无疑是一个巨大的震撼。黄宗羲是"吾乡"余姚人，与范氏家族没有任何血缘关系，照理是严禁登楼的，但无论如何他是靠自己的人品、气节、学问而受到全国思想学术界深深钦佩的巨人，范氏各房也早有所闻。尽管当时的信息传播手段非常落后，但由于黄宗羲的行为举止实在是奇崛响亮，一次次在朝野之间造成非凡的轰动效应。他的父亲本是明末东林党重要人物，被魏忠贤宦官集团所杀，后来宦官集团受审，十九岁的黄宗羲在廷质时竟义愤填膺地锥刺和痛殴漏网余党，后又追杀凶手，警告阮大铖，一时大快人心。清兵南下时他与两个弟弟在家乡组织数百人的子弟兵"世忠营"英勇抗清，抗清失败后便潜心学术，边著述边讲学，把民族道义、人格道德溶化在学问中启世迪人，成为中国古代学术天域中第一流的思想家和历史学家。他在治学过程中已经到绍兴钮氏“世学楼”和祁氏“淡生堂”去读过书，现在终于想来叩天一阁之门了。他深知范氏家族的森严规矩，但他还是来了，时间是康熙十二年，即一六七三年。

出乎意外，范氏家族的各房竟一致同意黄宗羲先生登楼，而且允许他细细地阅读楼上的全部藏书。这件事，我一直看成是范氏家族文化品格的一个验证。他们是藏书家，本身在思想学术界和社会政治领域都没有太高的地位，但他们毕竟为一个人而不是为其他人，交出他们珍藏严守着的全部钥匙。这里有选择，有裁断，有一个庞大的藏书世家的人格闪耀。黄宗羲先生长衣布鞋，悄然登楼了。铜锁在一具具打开，一六七三年成为天一阁历史上特别有光彩的一年。

黄宗羲在天一阁翻阅了全部藏书，把其中流通未广者编为书目，并另撰《天一阁藏书记》留世。由此，这座藏书楼便与一位大学者的人格连结起来了。

从此以后，天一阁有了一条可以向真正的大学者开放的新规矩，但这条规矩的执行还是十分苛严，在此后近二百年的时间内，获准登楼的大学者也仅有十余名，他们的名字，都是上得了中国文化史的。

这样一来，天一阁终于显现本身的存在意义，尽管显现的机会是那样小。封建家族的血缘继承关系和社会学术界的整体需求产生了尖锐的矛盾，藏书世家面临着无可调和的两难境地：要么深藏密裹使之留存，要么发挥社会价值而任之耗散。看来像天一阁那样经过最严格的选择作极有限的开放是一个没办法中的办法。但是，如此严格地在全国学术界进行选择，已远远超出了一个家族的职能范畴了。

直到乾隆决定编纂《四库全书》，这个矛盾的解决才出现了一些新的走向。乾隆谕旨各省采访遗书，要各藏书家，特别是江南的藏书家积极献书。天一阁进呈珍贵古籍六万余种，其中有九十六种被收录在《四库全书》中，有三万七十余种列入存目。乾隆非常感谢天一阁的贡献，多次褒扬奖赐，并授意新建的南北主要藏书楼都仿照天一阁格局营建。

天一阁因此而大出其名，尽管上献的书籍大多数没有发还，但在国家级的"百科全书"中，在钦定的藏书楼中，都有了它的生命。我曾看到好些著作文章中称乾隆下令天一阁为《四库全书》献书是天一阁的一大浩劫，颇觉言之有过。藏书的意义最终还是要让它广泛流播，"藏"本身不应成为终极的目的。连堂堂皇家编书都不得不大幅度地动用天一阁的珍藏，家族性的收藏变成了一种行政性的播扬，这证明天一阁获得了大成功，范钦获得了大成功。

五

天一阁终于走到了中国近代。什么事情一到中国近代总会变得怪异起来，这座古老的藏书楼开始了自己新的历险。

先是太平军进攻宁波时当地小偷趁乱拆墙偷书，然后当废纸论斤卖给造纸作坊。曾有一人出高价从作坊买去一批，却又遭大火焚毁。

这就成了天一阁此后命运的先兆，它现在遇到的问题已不是让某位学者上楼的问题了，竟然是窃贼和偷儿成了它最大的对手。

一九一四年，一个叫薛继渭的偷儿奇迹般地潜入书楼，白天无声无息，晚上动手偷书，每日只以所带枣子充饥，东墙外的河上，有小船接运所偷书籍。这一次几乎把天一阁的一半珍贵书籍给偷走了,它们渐渐出现在上海的书铺里。

继渭的这次偷窃与太平天国时的那些小偷不同,不仅数量巨大、操作系统,而且最终与上海的书铺挂上了钩,显然是受到书商的指使。近代都市的书商用这种办法来侵吞一个古老的藏书楼,我总觉得其中蕴含着某种象征意义。把保护藏书楼的种种措施都想到了家的范钦确实没有在防盗的问题上多动脑筋,因为这对在当时这样一个家族的院落来说构不成一种重大威胁。但是,这正像范钦想像不到会有一个近代降临,想像不到近代市场上那些商人在资本的原始积累时期会采取什么手段。一架架的书橱空了。钱绣芸小姐哀怨地仰望终身而未能上的楼板,黄宗羲先生小心翼翼地踩踏过的楼板,现在只留下偷儿吐出的一大堆枣核在上面。

当时主持商务印书馆的张元济先生听说天一阁遭此浩劫,并得知有些书商正准备把天一阁藏本卖给外国人,便立即拨巨资抢救,保存于东方图书馆的“涵芬楼”里。涵芬楼因有天一阁藏书的润泽而享誉文化界,当代不少文化大家都在那里汲取过营养。但是,如所周知,它最终竟又全部焚毁于日本侵略军的炸弹之下。

这当然更不是数百年前的范钦先生所能预料的了。他“天一生水”的防火秘咒也终于失效。

六

然而毫无疑问,范钦和他后代的文化良知在现代并没有完全失去光亮。除了张元济先生外,还有大量的热心人想努力保护好天一阁这座“危楼”,使它不要全然成为废墟。这在现代无疑已成为一个社会性的工程，靠着一家一族的力量已无济于事。幸好，本世纪三十年代、五十年代、六十年代直至八十年代，天一阁一次次被大规模地修缮和充实着，现在已成为重点文物保护单位，也是人们游览宁波时大多要去访谒的一个处所。天一阁的藏书还有待于整理，但在文化沟通便捷的现代，它的主要意义已不是以书籍的实际内容给社会以知识，而是作为一种古典文化事业的象征存在着，让人联想到中国文化保存和流传的艰辛历程，联想到一个古老民族对于文化的渴求是何等悲怆和神圣。

我们这些人，在生命本质上无疑属于现代文化的创造者，但从遗传因子上考察又无可逃遁地是民族传统文化的孑遗，因此或多或少也是天一阁传代系统的繁衍者，尽管在范氏家族看来只属于“他姓”。登天一阁楼梯时我的脚步非常缓慢，我不断地问自己：你来了吗？你是哪一代的中国书生？

很少有其他参观处所能使我像在这里一样心情既沉重又宁静。阁中一位年老的版本学家颤巍巍地捧出两个书函，让我翻阅明刻本，我翻了一部登科录，一部上海志，深深感到，如果没有这样的孤本，中国历史的许多重要侧面将杳无可寻。由此想到，保存这些历史的天一阁本身的历史，是否也有待于进一步发掘呢？裴明海先生递给我一本徐季子、郑学溥、袁元龙先生写的《宁波史话》的小册子，内中有一篇介绍了天一阁的变迁，写得扎实清晰，使我知道了不少我原先不知道的史实。但在我看来，天一阁的历史是足以写一部宏伟的长篇史诗的。我们的文学艺术家什么时候能把范氏家族和其他许多家族数百年来的灵魂史袒示给现代世界呢？

寂寞天柱山

一

现在有很多文化人完全不知道天柱山的所在，这实在是不应该的。

我曾惊奇地发现，中国古代许多大文豪、大诗人都曾希望在天柱山（潜山）安家。他们走过的地方很多，面对着佳山佳水一时激动，说一些过头话是不奇怪的；但是，声言一定要在某地安家，声言非要在那里安度晚年不可，而且身处不同的时代竟不谋而合地如此声言，这无论如何是罕见的。

唐天宝七年，诗人李白只是在江上路过时远远地看了看天柱山，便立即把它选为自己的归宿地："待吾还丹成，投迹归此地。"过了些年，安禄山叛乱，唐玄宗携杨贵妃出逃蜀中，《长恨歌》《长生殿》所描写过的生生死死大事件发生在历史舞台上，那个时候李白到哪里去了呢？原来他正躲在天柱山静静地读书。唐代正在漫漫艳情和浩浩狼烟间作艰难的选择，我们的诗人却选择了天柱山。当然，李白并没有炼成丹，最终也没有"投迹归此地"，但历史还是把他的这个真诚愿望留下了。

想在天柱山安家的愿望比李白还要强烈的，是宋代大文豪苏东坡。苏东坡在四十岁时曾遇见过一位在天柱山长期隐居的高人，两人饮酒畅叙三日，话题总不离天柱山，苏东坡由此而想到自己在颠沛流离中年方四十而华发苍然，下决心也要拜谒天柱山来领略另一种人生风味。“年来四十发苍苍，始欲求方救憔悴。他年若访潜山居，慎勿逃人改名字。”这便是他当时随口吟出的诗。后来，他在给一位叫李惟熙的友人写信时又说：“平生爱舒州风土，欲卜居为终老之计。”他这里所说的舒州便是天柱山的所在地，也可看作是天柱山的别称。请看，这位游遍了名山大川的旅行家已明确无误地表明要把卜居天柱山作为“终老之计”了。他这是在用诚恳的语言写信，而不是作诗，并无夸张成分。直到晚年，他的这个计划仍没有改变。老人一生最后一个官职竟十分巧合地是“舒州团练副使”，看来连上天也有意成全他的“终老之计”了。他欣然写道：

青山只在古城隅，
万里归来卜筑居。

把到天柱山来说成是“归来”，分明早已把它看成了家。但如所周知，一位在朝野都极有名望的六十余岁老人的定居处所已不是他本人的意向所能决定的了，和李白一样，苏东坡也没有实现自己的“终老之计”。

与苏东坡同时代的王安石是做官的人，对山水景物比不得李白、苏东坡痴情，但有趣的是，他竟然对天柱山也抱有终身性的迷恋。王安石在三十多岁时曾做过三年舒州通判，多次畅游过天柱山，后来虽然宦迹处处，却怎么也丢不下这座山，用现代语言来说，几乎是打上了一个松解不开的“情结”。不管到了哪儿，也不管多大年纪了，他只要一想到天柱山就经常羞愧：

相看发秃无归计，
一梦东南即自羞！

这两句取自他《怀舒州山水》一诗，天柱山永远在他梦中，而自己头发秃谢了也无法回去，他只能深深“自羞”了。与苏东坡一样，他也把到天柱山说成是“归”。

王安石一生经历的政治风浪多，社会地位高，但他总觉平生有许多事情没有多大意思，因此，上面提到的这种自羞意识总是一而再、再而三地浮现于心头：

看君别后行藏意，
回顾潜楼只自羞。

只要听到有人要到天柱山去，他总是送诗祝贺，深表羡慕。“揽辔羡君桥北路”，他多么想跟着这位朋友一起纵马再去天柱山啊。但他毕竟是极不自由的，“宦身有吏责，觞事遇嫌猜”，他只能把生命深处那种野朴的欲求克制住。而事实上，他真正神往的生命状态乃是：

野性堪如此，

潜山归去来。

还可以举出一些著名文学家来。例如在天柱山居住过一段时间的黄庭坚此后总是口口声声“吾家潜山，实为名山之福地”，而实际上他是江西人，真正的家乡离天柱山（潜山）还远得很。

再列举下去有点“掉书袋”的味道了，就此打住吧。我深感兴趣的问题是，在华夏大地的崇山峻岭中间，天柱山究竟凭什么赢得了这么多文学大师的厚爱？

很可能是它曾经有过的宗教气氛。天柱山自南北朝特别是隋唐以后，佛道两教都非常兴盛。佛教的二祖、三祖、四祖都曾在此传经，至今三祖寺仍是全国著名的禅宗古刹；在道教那里，天柱山的地理位置使它成为“地维”，是“九天司命真君”的居住地，很多道家大师都曾在这里学过道。这两大宗教在此交汇，使天柱山一度拥有层层叠叠的殿宇楼阁，气象非凡。对于高品位的中国人来说，佛道两教往往是他们世界观的主干或侧翼，因此这座山很有可能成为他们漫长人生的精神皈依点。这种山水化了的宗教，理念化了的风物，最能使那批有悟性的文人畅意适怀。例如李白、苏东坡对它的思念，就与此有关。

也可能是它所蕴含的某种历史魅力。早在公元前一百〇六年，汉武帝曾到天柱山祭祀，封此山为南岳，这次祭山是连伟大的历史学家司马迁也跟随来了的。后来，天柱山地区出过一些让一切中国人都难以忘怀的历史人物，例如赫赫大名的三国周瑜，以及“小乔初嫁了”的二乔姐妹。这般风流倜傥、又与历史的大线条连结得这般紧密，本是历代艺术家恒久的着眼点，无疑也会增加这座山的诱惑力。

王安石初到此地做官时曾急切询问当地百姓知道不知道这里出过周瑜，百姓竟然都不知道，王安石深感寂寞，但这种寂寞可能更加增添了诱惑。一般的文人至少会对乔氏姐妹的出生地发生兴趣："乔公二女秀所钟，秋水并蒂开芙蓉。只今冷落遗故址，令人千古思余风。"(罗庄:《潜山古风》)

当然，还会有其他可能。

但是在我看来，首要条件还是它的自然风景。如果风景不好，佛道寺院不会竞相在这里筑建，出了再大的名人也不会叫人过多地留连。那么，且让我们进山。

二

我们是坐长途汽车进天柱山的，车上有十多个人，但到车停下以后一看，他们大多是山民和茶农，一散落到山岙里连影子也没有了，真正来旅游的只是我们。

开始见到过一个茶庄，等到顺着茶庄背后山路翻过山，就再也见不到房舍。山外的一切平泛景象突然不见，一时涌动出无数奇丽的山石，山石间掩映着丛丛簇簇的各色林木，一下子就把人的全部感觉收服了。我在想，这种著名的山川实在是造物主使着性子雕镂出来的千古奇迹。为什么到了这里，一切都变得那么可心了呢？在这里随便选一块石头搬到山外去都会被人当作奇物供奉起来，但它就是不肯匀出一点，让外面的开阔地长久地枯燥着，硬是把精华都集中在一处，自享自美。水也来凑热闹，不知从哪儿跑出来的，这儿一个溪涧，那儿一道瀑布，贴着山石幽幽地流，欢欢地溅。此时外面正是炎暑炙人的盛夏，进山前见过一条大沙河，混浊的水，白亮的反光，一见之下就平添了几分烦热；而在这里，几乎每一滴水都是清澈甜凉的了，给整个山谷带来一种不见风的凉爽。有了水声，便引来虫叫，引来鸟鸣，各种声腔调门细细地搭配着，有一声，没一声，搭配出一种比寂然无声更静的静。你就被这种静控制着，脚步、心情、脸色也都变静。想起了高明的诗人、画家老是要表现的一种对象：静女。这种女子，也是美的大集中，五官身材一一看去，没有一处不妥贴的，于是妥贴成一种难于言传的宁静。

长长的山道上很难得见到人。记得先是在一处瀑布边见到过两位修路的民工，后来在通向三祖寺的石阶上见过一位挑肥料的山民，最后在霹雳石边上见到一位蹲在山崖边卖娃娃鱼的妇女。曾问那位妇女：整个山上都没有人，娃娃鱼卖给谁呢？妇女一笑，随口说了几句很难听懂的当地土话，像是高僧的偈语。色彩斑斓的娃娃鱼在瓶里停伫不动，像要从寂寞的亘古停伫到寂寞的将来。

山道越走越长，于是宁静越来越纯。越走又越觉得山道修筑得非常完好，完好得与这个几乎无人的世界不相般配。当然得感谢近年来的悉心修缮，但毫无疑问，那些已经溶化为自然景物的坚实路基，那些新桥栏下石花苍然的远年桥墩，那些指向风景绝佳处的磨滑了的石径，却镌刻下了很早以前曾经有过的繁盛。无数的屋檐曾从崖石边飞出，磬钹声此起彼伏，僧侣和道士们在山道间拱手相让，远道而来的士子们更是指指点点，东张西望。是历史，是无数双远去的脚，是一代代人登攀的虔诚，把这条山道连结得那么通畅，踩踏得那么殷实，流转得那么潇洒自如。

如果在荆莽丛中划开一条小路，一次次低头曲腰地钻出身子来，麻烦虽然麻烦，却绝不会寂寞；今天，分明走在一条足以容纳浩浩荡荡的朝山队伍的畅亮山道上，却不知为何突然消失了全部浩浩荡荡，光剩下了我们，于是也就剩下了寂寞，剩下了惶恐。

进山前曾在一堵墙壁上约略看过游览路线图，知道应有许多景点排列着，一直排到最后的天柱峰。据说站在天池边仰望天柱峰，还会看到一种七彩光环层层相套的“宝光”。但是，我们走得那么久了，怎么就找不到路线图上的诸多景点呢？也许根本走错了路？或者倒是抄了一条近路，天柱峰会突然在眼前冒出来？人在寂寞和惶恐中什么念头都会产生，连最后一点意志力也会让位给侥幸。就在这时，终于在路边看到一块石头路标，一眼看去便一阵激动：天柱峰可不真的走到了！但定睛再看时发现，写的是天蛙峰，那个蛙字远远看去与柱字相仿。

总算找到了一个像样的景点。天蛙峰因峰顶有巨石很像一只青蛙而得名。与天蛙峰并列有降丹峰和天书峰，一峰峰登上去，远看四周，云翻峰涌，确实是大千气象。峰顶有平坦处，舒舒展展地仰卧在上面，顿时山啊，云啊，树啊，鸟啊，都一起屏息，只让你静静地休憩。汗收了，气平了，懒劲也上来了，再不想挪动。这儿有远山为墙，白云为盖，那好，就这样软软地躺一会儿。

有一阵怪异的凉风吹在脸上，微微睁开眼，不好，云在变色，像要下雨，所有的山头也开始探头探脑地冷笑。一骨碌起身，突然想起一路绝无避雨处，要返回长途汽车站还有漫长的路途。不知今天这儿是否还会有长途汽车向县城发出？赶快返回吧，天柱峰在哪儿，想也不敢去想了。

后来，等我们终于赶回到那幅画在墙上的游览线路图前才发现，我们所走的路，离天柱峰还不到三分之一。许许多多景点，我们根本还没有走到呢。

三

我由此而不能不深深地叹息。

论爬山，我还不算是一个无能者，但我为何独独消受不住天柱山的长途和清寂呢？我本以为进山之后可以找到李白、苏东坡他们一心想在山中安家的原因，为什么这个原因离我更加遥远了呢？

也许不能怪我。要不然堂堂天柱山为何游人这般稀少呢？

据说，很有一些人为此找过原因。有人说，虽然汉武帝封它为南岳，但后来隋文帝却把南岳的尊称转让给了衡山。它既被排除在名山之外，也就冷落了。对这种说法只可一笑了之。因为天柱山真正的兴盛期都在撤销封号之后，更何况从未被谁封过的黄山、庐山不正热闹非凡？

也有人认为是交通不便，从合肥、安庆到这里要花费半天时间。这自然也不成理由，那些更其难于抵达的地方如峨眉乃至敦煌，不也一直熙熙攘攘？

我认为，天柱山之所以能给古人一种居家感，一个比较现实的原因是它地处江淮平原，四相钩连，八方呼应，水陆交通畅达，虽幽深而无登高之苦，虽奇丽而无柴米之匮，总而言之，既宁静又方便。但是，正是这重要的地理位置，险要而又便利的生存条件，使它一次次成了兵家必争之地，成了或要严守、或要死攻的要塞所在。这样，它就要比其他风景胜地不幸得多。不间断的兵燹几乎烧毁了每一所寺院和楼台，留下一条挺像样子却又无处歇脚的山路，在寂静中蜿蜒。

我敢断定，古代诗人们来游天柱山的时候，会在路边的寺庙道院里找到不少很好的食宿处，一天一天地走过去，看完七彩宝光再洒洒脱脱地逛回来。要不然，怎么也产生不了在这儿安家的念头。

因此，是多年的战争，使天柱山丧失了居家感，也使它还来不及为现代游人作应有的安排。

空寂无人的山岙，留下了历史的强蛮。

四

天柱山一直没有一部独立的山志，因此我对它的历史沧桑知之不详。约略可说一点的只是——

南宋末年，义民刘源在天柱山区率十万军民结寨抗元达十八年之久，失败后天柱山遭到扫荡，刘源本人则牺牲在天柱峰下；

明朝末年，张献忠与官军多次以天柱山为主战场进行惨烈的搏斗，佛光寺等寺院都付之一炬，仅在崇祯十五年九月的一场战斗中，张献忠的起义军战死十余万人，天柱山地区"尸横二十余里"；

以后，朱统锜又以天柱山据点抗清复明，余公亮也在这里聚众造反。他们都失败了，天柱山又一次受到血与火的荡涤；

天柱山成为最大的战场是在清代咸丰、同治年间，太平天国的将领陈玉成在此与清兵厮杀十几年，进进退退，烧烧杀杀，待太平天国失败后再去打点这个旧战场，全山寺庙几乎都已不复存在。

…………

是的，天柱山有宗教，有美景，有诗文，但中国历史要比这一切苍凉得多，到了一定的时候，茫茫大地上总要凸现出圆目怒睁、青筋贲张的主题，也许是拼死挣扎，也许是血誓报复，也许是不用无数尸体已无法换取某种道义，也许是舍弃强暴已不能验证自己的存在，那就只能对不起宗教、美景和诗文了，天柱山乖乖地给这些主题腾出地盘。

它本该早就彻底荒芜，任蛇蝎横行、豺狼出没，但总还有一些人在战场废墟上低头徘徊，企图再建造一点大体可以称作文明或文化的什么。例如直到本世纪二十年代还有一个妙高和尚栖息在马祖洞旁的草庵里日夜开荒积粮，又四方化缘，竟以多年精力重建起寺院，实在是创造了个人意志力的惊人奇迹。但这又有什么用呢？本世纪依然兵荒马乱，油漆崭新的殿宇很快又在战火中颓圮。现在，战争停息已有很多年了，这儿，也许可以比较长久地改变一个主题？

终于又想起李白、苏东坡、王安石他们了。在我们辽阔的土地上，让这样的文人能产生终老之计的山水，总应该增加一些而不是减少下去吧。冷漠的自然能使人们产生故园感和归宿感，这是自然的人化，是人向自然的真正挺进。天柱山的盛衰升沉，无疑已触及到这个哲学和人类学的本原性问题。苏东坡、王安石本是不错的哲学家，天柱山寺庙的僧侣中一定也隐伏过许多玄学大师，他们在山间漫步沉思的时候，是否也曾碰撞到这些问题的边缘？

至于我，现今也到了苏东坡所说“年来四十发苍苍”的年岁，浪迹四野，风尘满身。当然不会急着在这里觅地建房，但走在天柱山的山道上，却时时体会着“万里归来卜筑居”的深味。我不是也一直在寻找吗？

好像寻找的人还相当的多。耳边分明响起比我年轻的人的恳切歌声：“我想有个家……”

是的，家。从古代诗人到我们，都会在天柱山的清寂道上反复想到的一个远远超出社会学范畴的哲学命题：家。

西湖梦

一

西湖的文章实在作得太多了，作的人中又多历代高手，再作下去连自己也觉得愚蠢。但是，虽经多次违避，最后笔头一抖，还是写下了这个俗不可耐的题目。也许是这汪湖水沉浸着某种归结性的意义，我避不开它。

初识西湖，在一把劣质的折扇上。那是一位到过杭州的长辈带到乡间来的。折扇上印着一幅西湖游览图，与现今常见的游览图不同，那上面清楚地画着各种景致，就像一个立体模型。图中一一标明各种景致的幽雅名称，凌驾画幅的总标题是“人间天堂”。乡间儿童很少有图画可看，于是日日逼视，竟烂熟于心。年长之后真到了西湖，如游故地，熟门熟路地踏访着一个陈旧的梦境。

明代正德年间一位日本使臣游西湖后写过这样一首诗：

昔年曾见此湖图，
不信人间有此湖。

今日打从湖上过，
画工还欠费工夫。

可见对许多游客来说，西湖即便是初游，也有旧梦重温的味道。这简直成了中国文化中的一个常用意象，摩挲中国文化一久，心头都会有这个湖。

奇怪的是，这个湖游得再多，也不能在心中真切起来。过于玄艳的造化，会产生了一种疏离，无法与它进行家常性的交往。正如家常饮食不宜于排场，可让儿童偎依的奶妈不宜于盛妆，西湖排场太大，妆饰太精，难以叫人长久安驻。大凡风景绝佳处都不宜安家，人与美的关系，竟是如此之蹊跷。

西湖给人以疏离感，还有别一原因。它成名过早，遗迹过密，名位过重，山水亭舍与历史的牵连过多，结果，成了一个象征性物象非常稠厚的所在。游览可以，贴近去却未免吃力。为了摆脱这种感受，有一年夏天，我跳到湖水中游泳，独个儿游了长长一程，算是与它有了触肤之亲。湖水并不凉快，湖底也不深，却软绒绒地不能蹬脚，提醒人们这里有千年的淤积。上岸后一想，我是从宋代的一处胜迹下水，游到一位清人的遗宅终止的，于是，刚刚抚弄过的水波就立即被历史所抽象，几乎有点不真实了。

它贮积了太多的朝代，于是变得没有朝代。它汇聚了太多的方位，于是也就失去了方位。它走向抽象，走向虚幻，像一个收罗备至的博览会，盛大到了缥缈。

二

西湖的盛大，归拢来说，在于它是极复杂的中国文化人格的集合体。

一切宗教都要到这里来参加展览再避世的，也不能忘情于这里的热闹；再苦寂的，也要分享这里的一角秀色。佛教胜迹最多，不必一一列述了，即便是超逸到家了的道家，也占据了一座葛岭。这是湖畔最先迎接黎明的地方，一早就呼唤着繁密的脚印。作为儒将楷模的岳飞，也跻身于湖滨安息，世代张扬着治国平天下的教义。宁静淡泊的国学大师也会与荒诞奇瑰的神话传说相邻而居，各自变成一种可供观瞻的景致。

这就是真正中国化了的宗教。深奥的理义可以幻化成一种热闹的游览方式，与感官玩乐溶成一体。这是真正的达观和"无执"，同时也是真正的浮滑和随意。极大的认真伴和着极大的不认真，最后都皈依于消耗性的感官天地。中国的原始宗教始终没有像西方那样上升为完整严密的人为宗教，而后来的人为宗教也急速地散落于自然界，与自然宗教遥相呼应。背着香袋来到西湖朝拜的善男信女，心中并无多少教义的踪影，眼角却时时关注着桃红柳绿、莼菜醋鱼。是山水走向了宗教？抑或是宗教走向了山水？反正，一切都归之于非常实际、又非常含糊的感官自然。

西方宗教在教义上的完整性和普及性，引出了宗教改革者和反对者们在理性上的完整性和普及性；而中国宗教，不管从顺向还是逆向都激发不了这样的思想习惯。绿绿的西湖水，把来到岸边的各种思想都款款地摇碎，溶成一气，把各色信徒都陶冶成了游客。它波光一闪，嫣然一笑，科学理性精神很难在它身边保持坚挺。也许，我们这个民族，太多的是从西湖出发的游客，太少的是鲁迅笔下的那种过客。过客衣衫破碎，脚下淌血，如此急急地赶路，也在寻找一个生命的湖泊吧？但他如果真走到了西湖边上，定会被万千悠闲的游客看成是乞丐。也许正是为此，鲁迅劝阻郁达夫把家搬到杭州：

钱王登假仍如在，
伍相随波不可寻，
平楚日和憎健翮，
小山香满蔽高岑。
坟坛冷落将军岳，
梅鹤凄凉处士林，
何似举家游旷远，
风波浩荡足行吟。

他对西湖的口头评语乃是："至于西湖风景，虽然宜人，有吃的地方，也有玩的地方，如果流连忘返，湖光山色，也会消磨人的志气的。如像袁子才一路的人，身上穿一件罗纱大褂，和苏小小认认乡亲，过着飘飘然的生活，也就无聊了。"（川岛：《忆鲁迅先生一九二八年杭州之游》）

然而，多数中国文人的人格结构中，对一个充满象征性和抽象度的西湖，总有很大的向心力。社会理性使命已悄悄抽绎，秀丽山水间散落着才子、隐士，埋藏着身前的孤傲和身后的空名。天大的才华和郁愤，最后都化作供后人游玩的景点。景点，景点，总是景点。

再也读不到传世的檄文，只剩下廊柱上龙飞凤舞的楹联。

再也找不见慷慨的遗恨，只剩下几座既可凭吊也可休息的亭台。

再也不去期待历史的震颤，只有凛然安坐着的万古湖山。

修缮，修缮，再修缮。群塔入云，藤葛如髯，湖水上漂浮着千年藻苔。

三

西湖胜迹中最能让中国文人扬眉吐气的，是白堤和苏堤。两位大诗人、大文豪，不是为了风雅，甚至不是为了文化上的目的，纯粹为了解除当地人民的疾苦，兴修水利，浚湖筑堤，终于在西湖中留下了两条长长的生命堤坝。

清人查容咏苏堤诗云："苏公当日曾筑此，不为游观为民耳。"恰恰是最懂游观的艺术家不愿意把自己的文化形象雕琢成游观物，于是，这样的堤岸便成了西湖间特别显得自然的景物。不知旁人如何，就我而论，游西湖最畅心意的，乃是在微雨的日子，独个儿漫步于苏堤。也没有什么名句逼我吟诵，也没有后人的感慨来强加于我，也没有一尊庄严的塑像压抑我的松快，它始终只是一条自然功能上的长堤，树木也生得平适，鸟鸣也听得自如。这一切都不是东坡学士特意安排的，只是他到这里做了太守，办了一件尽职的好事。就这样，才让我看到一个在美的领域真正卓越到了从容的苏东坡。

但是，就白居易、苏东坡的整体情怀而言，这两道物化了的长堤还是太狭小的存在。他们有他们比较完整的天下意识、宇宙感悟，他们有他们比较硬朗的主体精神、理性思考，在文化品位上，他们是那个时代的峰巅和精英。他们本该在更大的意义上统领一代民族精神，但却仅仅因辞章而入选为一架僵硬机体中的零件，被随处装上拆下，东奔西颠，极偶然地调配到了这个湖边，搞了一下别人也能搞的水利。

也许正是对这类结果的大彻大悟，西湖边又悠悠然站出来一个林和靖。他似乎把什么都看透了，隐居孤山二十年，以梅为妻，以鹤为子，远避官场与市嚣。他的诗写得着实高明，以“疏影横斜水清浅，暗香浮动月黄昏”两句来咏梅，几乎成为千古绝唱。中国古代，隐士多的是，而林和靖凭着梅花、白鹤与诗句，把隐士真正做道地、做漂亮了。在后世文人眼中，白居易、苏东坡固然值得羡慕，却是难以追随的；能够偏偏到杭州西湖来做一位太守，更是一种极偶然、极奇罕的机遇。然而，要追随林和靖却不难，不管有没有他的才份。梅妻鹤子有点烦难，其实也很宽松，林和靖本人也是有妻子和小孩的。哪儿找不到几丛花树、几只飞禽呢？在现实社会碰了壁、受了阻，急流勇退，扮作半个林和靖是最容易不过的。

这种自卫和自慰，是中国知识分子的机智，也是中国知识分子的狡黠。不能把志向实现于社会，便躲进一个自然小天地自娱自耗。他们消除了志向，渐渐又把这种消除当作了志向。安贫乐道的达观修养，成了中国文化人格结构中一个宽大的地窖，尽管有浓重的霉味，却是安全而宁静。于是，十年寒窗，博览文史，走到了民族文化的高坡前，与社会交手不了几个回合，便把一切深埋进一座座孤山。

结果，群体性的文化人格日趋黯淡。春去秋来，梅凋鹤老，文化成了一种无目的的浪费，封闭式的道德完善导向了总体上的不道德。文明的突进，也因此被取消，剩下一堆梅瓣、惟羽，像书签一般，夹在民族精神的史册上。

四

与这种黯淡相对照，野泼泼的，另一种人格结构也调皮地挤在西湖岸边凑热闹。

首屈一指者，当然是名妓苏小小。

不管愿意不愿意，这位妓女的资格，要比上述几位名人都老。在后人咏西湖的诗作中，总是有意无意地把苏东坡、岳飞放在这位姑娘后面："苏小门前花满枝，苏公堤上女当垆"；"苏家弱柳犹含媚，岳墓乔松亦抱忠"……就是年代较早一点的自居易，也把自己写成是苏小小的钦仰者："若解多情寻小小，绿杨深处是苏家"；"苏家小女旧知名，杨柳风前别有情"。

如此看来，诗人袁子才镌一小章曰："钱塘苏小是乡亲"，虽为鲁迅所不悦，却也颇可理解的了。

历代吟咏和凭吊苏小小的，当然不乏轻薄文人，但内心厚实的饱学之士也多的是。在我们这样一个国度，一位妓女竟如此尊贵地长久安享景仰，原因是颇为深刻的。

苏小小的形象本身就是一个梦。她很重感情，写下一首《同心歌》曰："妾乘油壁车，郎跨青骢马。何处结同心，西陵松柏下。"朴朴素素地道尽了青年恋人约会的无限风光。美丽的车，美丽的马，一起飞驶疾驰，完成了一组气韵夺人的情感造像。又传说她在风景胜处偶遇一位穷困书生，便慷慨解囊，赠银百两，助其上京。但是，情人未归，书生已去，世界没能给她以情感的报偿。她并不因此而郁愤自戕，而是从对情的执著大踏步地迈向对美的执著。她不做姬做妾，勉强去完成一个女人的低下使命，而是要把自己的美色呈之街市，蔑视着精丽的高墙。她不守贞节只守美，直让一个男性的世界围着她无常的喜怒而旋转。最后，重病即将夺走她的生命，她却恬然适然，觉得死于青春华年，倒可给世界留下一个最美的形象。她甚至认为，死神在她十九岁时来访，乃是上天对她的最好成全。

难怪曹聚仁先生要把她说成是茶花女式的惟美主义者。依我看，她比茶花女活得更为潇洒。在她面前，中国历史上其他有文学价值的名妓，都把自己搞得太逼仄了。为了一个负心汉，或为了一个朝廷，颠簸得过于认真。只有她那种颇有哲理感的超逸，才成为中国文人心头一幅秘藏的圣符。

由情至美，始终围绕着生命的主题。苏东坡把美衍化成了诗文和长堤，林和靖把美寄托于梅花与白鹤，而苏小小，则一直把美熨贴着自己的本体生命。她不作太多的物化转捩，只是凭借自身，发散出生命意识的微波。

妓女生涯当然是不值得赞颂的，苏小小的意义在于，她构成了与正统人格结构的奇特对峙。再正经的鸿儒高士，在社会品格上可以无可指摘，却常常压抑着自己和别人的生命本体的自然流程。这种结构是那样的宏大和强悍，使生命意识的激流不能不在崇山峻岭的围困中变得恣肆和怪异。这里又一次出现了道德和不道德、人性和非人性、美和丑的悖论：社会污浊中也会隐伏着人性的大合理，而这种大合理的实现方式又常常怪异到正常的人们所难以容忍。反之，社会历史的大光亮，又常常以牺牲人本体的许多重要命题为代价。单向完满的理想状态，多是梦境。人类难以挣脱的一大悲哀，便在这里。

西湖所接纳的另一具可爱的生命是白娘娘。虽然只是传说，在世俗知名度上却远超许多真人，因此在中国人的精神疆域中早就成了一种更宏大的切实存在。人们慷慨地把湖水、断桥、雷峰塔奉献给她。在这一点上，西湖毫无亏损，反而因此而增添了特别明亮的光色。

她是妖，又是仙，但成妖成仙都不心甘。她的理想最平凡也最灿烂：只愿做一个普普通通的人。这个基础命题的提出，在中国文化中具有极大的挑战性。

中国传统思想历来有分割两界的习惯性功能。一个浑沌的人世间，利刃一划，或者成为圣、贤、忠、善、德、仁，或者成为奸、恶、邪、丑、逆、凶，前者举入天府，后者沦于地狱。有趣的是，这两者的转化又极为便利。白娘娘做妖做仙都非常容易，麻烦的是，她偏偏看到在天府与地狱之间，还有一块平实的大地，在妖魔和神仙之间，还有一种寻常的动物：人。她的全部灾难，便由此而生。

普通的、自然的、只具备人的意义而不加外饰的人，算得了什么呢？厚厚一堆二十五史并没有为它留出多少笔墨。于是法海逼白娘娘回归于妖，天庭劝白娘娘上升为仙，而她却拼着生命大声呼喊：人！人！人！

她找上了许仙，许仙的木讷和萎顿无法与她的情感强度相对称，她深感失望。她陪伴着一个已经是人而不知人的尊贵的凡夫，不能不陷于寂寞。这种寂寞，是她的悲剧，更是她所向往的人世间的悲剧。可怜的白娘娘，在妖界仙界呼唤人而不能见容，在人间呼唤人也得不到回应。但是，她是决不会舍弃许仙的，是他，使她想做人的欲求变成了现实，她不愿去寻找一个超凡脱俗即已离异了普通状态的人。这是一种深刻的矛盾，她认了，甘愿为了他去万里迢迢盗仙草，甘愿为了他在水漫金山时殊死拼搏。一切都是为了卫护住她刚刚抓住一半的那个“人”字。

在我看来，白娘娘最大的伤心处正在这里，而不是最后被镇于雷峰塔下。她无惧于死，更何惧于镇？她莫大的遗憾，是终于没能成为一个普通人。雷峰塔只是一个归结性的造型，成为一个民族精神界的怆然象征。

一九二四年九月，雷峰塔终于倒掉，一批“五四”文化闯将都不禁由衷欢呼，鲁迅更是对之一论再论。这或许能证明，白娘娘和雷峰塔的较量，关系着中国精神文化的决裂和更新？为此，即便明智如鲁迅，也愿意在一个传说故事的象征意义上深深沉浸。

鲁迅的朋友中，有一个用脑袋撞击过雷峰塔的人，也是一位女性，吟罢“秋风秋雨愁煞人”，也在西湖边上安身。

我欠西湖的一笔宿债，是至今未到雷峰塔废墟去看看。据说很不好看，这是意料中的，但总要去看一次。

笔 墨 祭

一

中国传统文人究竟有哪些共通的精神素质和心理习惯，这个问题，现在已有不少海内外学者在悉心研究。这种研究的重要性是显而易见的，但也时时遇到麻烦。年代那么长，文人那么多，说任何一点共通都会涌出大量的例外，而例外一多，所谓共通云云也就很不保险了。

我思忖日久，头脑渐渐归于朴拙，觉得中国传统文人有一个不存在例外的共通点：他们都操作着一副笔墨，写着一种在世界上很独特的毛笔字。不管他们是官居宰辅还是长为布衣，是侠骨赤胆还是蝇营狗苟，是豪壮奇崛还是脂腻粉渍，这副笔墨总是有的。

笔是竹杆毛笔，墨由烟胶炼成。浓浓地磨好一砚，用笔一舔，便簌簌地写出满纸黑生生的象形文字来。这是中国文人的基本生命形态，也是中国文化的共同技术手段。既然如此，我们何不先把玩一下这管笔、这锭墨再说呢？

一切精神文化都是需要物态载体的。五四新文化运动就遇到过一场载体的转换，即以白话文代替文言文；这场转换还有一种更本源性的物质基础，即以“钢笔文化”代替“毛笔文化”。五四斗士们自己也使用毛笔，但他们是用毛笔在呼唤着钢笔文化。毛笔与钢笔之所以可以称之为文化，是因为它们各自都牵连着一个完整的世界。

二

作为一个完整的世界的毛笔文化，现在已经无可挽回地消逝了。

诚然，我并不否定当代书法的成就。有一位朋友对我说，当代书法家没有一个能比得上古代书法家。我不同意这种看法。古代书法家的队伍很大，层次很多，就我见闻所及，当代一些书法高手完全有资格与古代的许多书法家一比高低。但是，一个无法比拟的先决条件是，古代书法是以一种极其广阔的社会必需性为背景的，因而产生得特别自然、随顺、诚恳；而当代书法终究是一条刻意维修的幽径，美则美矣，却未免失去了整体上的社会性诚恳。

在这一点上有点像写古诗。五四以降，能把古诗写得足以与古人比肩的大有人在，但不管如何提倡张扬，唐诗宋词的时代已绝对不可能复现。诗人自己可以写得非常得心应手（如柳亚子、郁达夫他们），但社会接纳这些诗作却并不那么热情和从容了。久而久之，敏感的诗人也会因寂寞而陷入某种不自然。他们的艺术人格，或许就会因社会的这种选择而悄悄地重新调整。这里遇到的，首先不是技能技巧的问题。

我非常喜欢的王羲之、王献之父子的几个传本法帖，大多是生活便条。只是为了一件琐事，提笔信手涂了几句，完全不是为了让人珍藏和悬挂。今天看来，用这样美妙绝伦的字写便条实在太奢侈了，而在他们却是再自然不过的事情。接受这张便条的人或许眼睛一亮，却也并不惊骇万状。于是，一种包括书写者、接受者和周围无数相类似的文人们在内的整体文化人格气韵，就在这短短的便条中泄露无遗。在这里，艺术的生活化和生活的艺术化相溶相依，一支毛笔并不意味着一种特殊的职业和手艺，而是点化了整体生活的美的精灵。我相信，后代习摹二王而惟妙惟肖的人不少，但谁也不能把写这些便条的随意性学到家。

在富丽的大观园中筑一个稻香村未免失之矫揉，农舍野趣只在最平易的乡村里。时装表演可以引出阵阵惊叹，但最使人舒心畅意的，莫过于街市间无数服饰的整体鲜亮。成年人能保持天真也不失可喜，但最灿烂的天真必然只在孩童们之间。在毛笔文化鼎盛的古代，文人们的衣衫步履、谈吐行止、居室布置、交际往来，都与书法构成和谐，他们的生命行为，整个儿散发着墨香。

相传汉代书法家师宜官喜欢喝酒，却又常常窘于酒资，他的办法是边喝边在酒店墙壁上写字，一时观者云集，纷纷投钱。你看，他轻轻发出了一个生命的信号，就立即有那么多的感应者。这与今天在书法展览会上让人赞叹，完全是另一回事了。整个社会对书法的感应是那样敏锐和热烈，对善书者又是如此尊敬和崇尚。这使我想起现代的月光晚会，哪个角落突然响起了吉他，整个晚会都安静下来，领受那旋律的力量。

书法在古代的影响是超越社会藩篱的。师宜官在酒店墙上写字，写完还得亲自把字铲去，把墙壁弄得伤痕斑斑，但店主和酒保并不在意，他们也知书法，他们也在惊叹。师宜官的学生梁鹄在书法上超越了老师，结果成了当时的政治权势者争夺的人物。他曾投于刘表门下，曹操破荆州后还特意寻访他，既为他的字，也为他的人。在当时，字和人的关系难分难舍。曹操把他的字悬挂在营帐中，运筹帷幄之余悉心观赏。在这里，甚至连政治军事大业也与书法艺术相依相傍。

我们今天失去的不是书法艺术，而是烘托书法艺术的社会气氛和人文趋向。我听过当代几位大科学家的演讲，他们写在黑板上的中文字实在很不像样，但丝毫没有改变人们对他们的尊敬。如果他们在微积分算式边上写出了几行优雅流丽的粉笔行书，反而会使人们惊讶，甚至感到不协调。当代许多著名人物用毛笔写下的各种题词，恕我不敬，从书法角度看也大多功力不济，但不会因此而受到人们的鄙弃。这种情景，在古代是不可想像的。因为这里存在着两种完全不同的文化信号系统和生命信号系统。

古代文人苦练书法，也就是在修练着自己的生命形象，就像现代西方女子终身不懈地进行着健美训练，不计时间和辛劳。

由此，一系列现代人难以想像的奇迹也随之产生。传说有人磨墨写字，复一日，把贮在屋檐下的几缸水都磨干了；有人写毕洗砚，把一个池塘的水都洗黑了；有人边走路边在衣衫上用手指划字，把衣衫都划破了……最令人惊异的是，隋唐时的书法家智永，写坏的笔头竟积了满满五大簏子，这种簏子每只可容一百多斤的重量，笔头很轻，但五簏子加在一起。也总该有一二百斤吧。唐代书法家怀素练字，用坏的笔堆成了一座小丘，他索性挖了一个坑来掩埋，起名曰“笔冢”。没有那么多的纸供他写字，他就摘芭蕉叶代纸，据说，近旁的上万株芭蕉都被他摘得光秃秃的。这种记载，即便打下几成折扣，仍然是十分惊人的。如果仅仅为了练字谋生，完全犯不着如此。

“古墨轻磨满几香，砚池新浴灿生光。”这样的诗句，展现的是对一种生命状态的喜悦。“非人磨墨墨磨人”，是啊，磨来磨去，磨出了一个个很道地的中国传统文人。

在这么一种整体气氛下，人们也就习惯于从书法来透视各种文化人格。颜真卿书法的厚重庄严，历来让人联想到他在人生道路上的同样品格。李后主理所当然地不喜欢颜字，说“真卿得右军之筋而失之粗鲁”，“有楷法而无佳处，正如叉手并脚田舍汉”。初次读到这位风流皇帝对颜真卿的这一评价时我忍不住笑出了声，从他的视角看去，说颜字像“叉手并脚田舍汉”是非常贴切的。这是一个人格化的比喻，比喻两端连着两种对峙的人格系统，往返同看煞是有趣。

苏东坡和董其昌也是两种截然不同的文人。在董其昌看来，浓冽、放达、执著的苏东坡连用墨都太浓丽了，竟讥之为“墨猪”。他自己则喜欢找一些难贮墨色的纸张，滑笔写去，淡远而又浮飘。

赵孟頫的字总算是漂亮的了，但是耿直侠义的傅青主却由衷地鄙薄。他实在看不惯赵孟頫以赵宋王朝亲裔的身份投降元朝的行为，结果从书法中也找出了奴颜媚骨。他说：“予极不喜赵子昂，薄其人，遂恶其书。”他并不是故意地以人格取消书法，只要看他自己的书法，就会知道他厌恶赵书是十分真诚的。他的字，遍体古拙，外逸内刚。

有些书法家的人格趋近自然，因此他们的笔墨也开启出另一番局面。宋代书法家政黄牛喜欢揣摩儿童写的字，他曾对秦观说：“书，心画也，作意则不妙耳。故喜求儿童字，观其纯气。”汉代书法家蔡邕则一心想把大自然的物象纳入笔端，他说：“凡欲结构字体，皆须像其一物，若鸟之形，若虫食禾，若山若树，纵横有托，运用合度，方可谓书。”这些书法家在讲写字，更在吐露自己的人生观念、哲学观念、宗教观念。如果仅仅就书法技巧论，揣摩儿童笔画，描画自然物象，不是太离谱了么？只有把书法与生命合而为一的人，才会把生命对自然的渴求转化成笔底风光。

在我看来，书法与主客观生命状态的关系，要算韩愈说得最生动。他在《送高闲上人序》中说及张旭书法时谓：“往时张旭善草书，不治他技，喜怒窘穷，忧悲愉佚，怨恨思慕，酣醉，无聊，不平，有动于心，必于草书焉发之。观于物，见山水崖谷，鸟兽虫鱼，草木之花实，日月列星，风雨水火，雷霆霹雳，歌舞战斗，天地事物之变，可喜可愕，一寓于书，故旭之书，变动犹鬼神，不可端倪，以此终其身而名后世。”记得宗白华先生就曾借用这段话来论述过中国书法美学中的生命意识。

宗白华先生是在研究高深的美学，而远在唐朝的韩愈却在写着一篇广传远播的时文。韩愈的说法今天听来颇为警策，而在古代，却是万千文人的一种共识。相比之下，我们今天对笔墨世界里的天然律令，确已渐渐生疏。

三

文章写到这里，很容易给人造成一个误会，以为古代书法可以与各个文人的精神品格直接对应起来。“文如其人”、“书如其人”，这些简陋的观点确也时常见之于许多文章。

“文如其人”有大量的例外，这一点已有钱钟书先生作过列述。书法艺术在总体上是一种形式美，它与人品的关系自然更加曲折错综。要说对应也只是一种“泛化对应”，在泛化过程中交糅进了种种其他因素。

不难举出，许多性格柔弱的文人却有一副奇崛的笔墨，而沙场猛将留下的字迹倒未必有杀伐之气。有时，人品低下、节操不济的文士也能写出一笔矫健温良的好字来。例如就我亲眼所见秦桧和蔡京的书法实在不差。

人的生命状态的构建和发射是极其复杂的。中国传统文人面壁十年，博览诸子，行迹万里，宦海沉浮，文化人格的吐纳几乎是一个浑沌的秘仪，不可轻易窥探。即如秦桧、蔡京者流，他们的文化人格远比他们的政治人格暧昧，而当文化人格折射为书法形式时，又会增加几层别样的云霭。

被傅青主所瞧不起的赵孟頫，他的书法确有甜媚之弊，但甜媚之中却又嶙嶙峋峋地有着许多前人风范的沉淀。因写《艺舟双楫》而出名的清代书法理论家包世臣说，见到一副赵孟頫的墨迹，乍看全是赵孟頫，但仔细一看，这个过于纯净的赵孟頫就不可能是赵孟頫。赵孟頫学过二王，学过李北海，学过褚河南，没有这些先师们的痕迹，赵孟頫只剩了一种字形，显然是赝品。

这个论断着实高妙。像赵孟頫这么复杂的文人，只能是多重人格结构汇聚和溶化的结果；已经汇聚、溶化成了一个卓然独立的大家，竟还可以一一寻其脉络，并在墨迹指认出来。这种现象，与人们平时谈艺时津津乐道的“溶汇百家而了无痕迹”正好相悖。这里，展露了中国文化的一种重要特征。

“溶汇百家而了无痕迹”的情况也是有的，主要出现在早期创业者群体中。如王羲之，曾悉心学习过卫夫人的书法，后来又追慕锺繇和张芝，还揣摩过其他许多秦汉以来的碑迹。他自称隶胜锺而草逊张，终于融汇贯通而攀上万世瞩目的书学峰巅。要在王羲之行书中一一辨认出他所师法过的前代书家痕迹，不太容易。但是，当高峰树起之后，它也就成了后世书家不能不继承的遗产。继承者又成了高峰，遗产也就累聚成一座深幽重叠的迷宫，使代代子孙既富足又惶恐，即便力求创新也摆脱不了遗传的干系。苏东坡算得敢于独立创新了，但清代翁方纲却一眼看破，说苏字中最好的仍然是带有晋贤风味的那一种。二王余绪的远代流注，连苏东坡也逃不过。

胆子更大一点的书法革新家，虽然高举着叛逆的旗幡，却也要有意无意地让人看出种种承袭的游丝，其中有人还专门著文来说明自身隐潜的连脉。米芾承颜而恣野，郑板桥学黄山谷而后以隶为楷，怪怪的金农自称得意于“禅国山碑”和“天发神谶碑”，赵之谦奇峰兀立而其实“颜底魏面”……

这就是可敬而可叹的中国文化。不能说完全没有独立人格，但传统的磁场紧紧地统摄着全盘，再强悍的文化个性也在前后牵连的网络中层层损减。本该健全而响亮的文化人格越来越趋向于群体性的互渗和耗散。互渗于空间便变成一种社会性的认同；互渗于时间便变成一种承传性定势。个体人格在这两种力量的拉扯中步履维艰。生命的发射多多少少屈从于群体惰性的熏染，刚直的灵魂被华丽的重担渐渐压弯。请看，仅仅是一支毛笔，就负载起了千年文人的如许无奈。

比较彻底的文化革新很难从这么漫长的岁月中站起身来。别的且不说，看森森百代，偌大的中国会有哪个人，敢用别的书写工具来写信记账？

四

也许，应该静静地等待时间的自然流变。

但是，既然整个传统文化早已构成互渗性的一流，时间并不能把中国文化推上逐级进化的台阶。

记得郭沫若曾经为书法提供过一则时间性变迁的范例，断定王羲之的字迹应不脱魏晋隶书笔意，传世《兰亭序》因此是伪作。《兰亭序》的真伪且不去说它，就基本思路论，我觉得郭沫若忽视了中国文化前后左右的互渗关系，忽视了中国文人复杂的艺术可能性，忽视了在前面这两个前提下魏晋时代书法艺术面对不同的实际需要（如刻碑、修帖、写便条）所必然产生的多元性。

从魏晋开始的一个极其漫长的历史过程中，在书法领域内部，几乎一切都是可能的。因为这是一个浑然一统的世界。颠倒、错位、裹卷、涡旋、复旧、超前，什么也不用奇怪。大体的阶段和脉络有一点。时肥时瘦，时浓时枯，但一旦要作过于科学的裁割，立即会顾此失彼，手忙脚乱。

事情必须要等到一个整体性变革的来临，才能出现根本性的阻断。

终于，有了辛亥革命和五四运动。

终于，有了胡适之和白话文。

终于，有了留学生和"烟士披里纯"。[①]

① 英文"灵感"一词的音译，五四前后常见诸报刊，有人把这五个字写入白话诗中。

终于，有了化学分子式和数学定理。

毛笔文化的一统世界开始动摇了。起初，谁也没有想到新的时代会对遍洒中国的无数支毛笔过不去。大家先从文化的内容着眼，因内容而想到载体。于是提倡白话文。毛笔只是一种手段性的工具，对它的去留人们不大在意。

林琴南用文言文翻译了大量的外国文艺作品，用的当然是毛笔。懂外文的助手们捧着原著把文意口述给他听，他的毛笔在纸页上飞快地舞动着，一页又一页，一叠又一叠，一本又一本，涌向书肆，散落到无数青年手上。这或许是中国毛笔文化极成功的一次后期呈现，你看，就凭着毛笔和文言文，不是把域外的新文艺生动地介绍了么？它不是已经适应了新的时代和世界潮流了么？谁说旧瓶不能装新酒呢？

但是，喝了新酒的人渐渐上了瘾，他们开始用疑惑的眼光来打量这家专做二道生意的林氏酒坊，他们发现了原装酒，一喝，劲儿大多了，他们不再满足林琴南手上那只古色古香的小酒坛。

许多新文化的迷醉者因林译小说的启蒙而学了外文，因学外文而放弃了毛笔。毛笔之外的天地是那么广阔，他们变得义无返顾。

林琴南握着毛笔的手终于颤抖了。他停止了翻译，用毛笔写下了声讨白话文兼及整个新文化的愤怒檄文。他的文章，是对毛笔文化的一次系统维护。人们对这位老人怀着一种复杂的情感：他是窗户的开启者，又是大门的把守者。他可以用毛笔指点一些什么，却绝不允许让毛笔文化的整体构架涣散。

相比之下，当时新文化的斗士们却从容得多，除了蔡元培给林琴南写了一封回信，刘半农假冒“王敬轩”给他开了个玩笑，没有再与这位老人多作争辩。他们洞悉世界大潮和时代走向，信心十足，忙着干许多更重要的事。他们没有更多的精力与一种顽固的逻辑怪圈纠缠日久，对于他们自己也在用的毛笔，更不作任何攻难。

新文化队伍中的人士，写毛笔字在总体上不如前代。他们有旧学根基，都能写；但当主要精力已投注到新的文化方式之后，笔墨的优劣已不是他们的价值系统中的敏感部位。陈独秀和胡适的毛笔字都写得一般，鲁迅、郭沫若、矛盾写得较好，鲁、郭两位或许还能跻身书法家的行列。对他们来说，毛笔字主要已成为一种并不强悍的工具形态。“文房四宝”，已完全维系不住他们的人格构架。

五

然而，事情又一次出现了负面。

毛笔文化既然作为一个完整的世界存在过数千年，它的美色早已锻铸得极其灿烂。只要认识中国字，会写中国字，即便是现代人，也会被其中温煦的风景所吸引。吸引得深了，还会一步步登堂入室，成为它的文化圈中新的成员。

五四文化新人与传统文化有着先天性的牵连，当革新的大潮终于消退，行动的方位逐渐模糊的时候，他们人格结构中亲近传统一面的重新强化是再容易不过的。像一个浑身湿透的弄潮儿又回到了一个宁静的港湾，像一个筋疲力尽的跋涉者走进了一座舒适的庭院，一切都显得那么自然。中国文化的帆船，永久载有这个港湾的梦；中国文人的脚步，始终沾有这个庭院的土。因此，再壮丽的航程，也隐藏着回归的路线。

我们很难疾言厉色，说这种回归是叛变。文化人格学的阐释，要比社会进化论达观得多。中国的事情总是难办,重要原因就在于有这一幅幅文化人格图谱不易索解。

陈独秀够激进的了,但他在杭州遇到沈尹默时,却首先批评了这位青年书法家的字:"昨天看见你写的一首诗,诗很好,字则其俗在骨。"对这句活,沈尹默刻骨铭心。沈尹默后来也写写白话诗,但主要精力却投注在书法上,终身不懈,成了中国现代毛笔文化的一个重要孑遗。

周作人不失为五四前期头脑特别清醒的斗士之一,他竟能在本世纪初年就一把抓住人的主题,提出"人的文学"的口号,在人文理性品格上明显地高人一筹。但他后来却深深地埋向毛笔文化而不可自拔,即便每天用毛笔抄一些古书古文也怡然自得。他抄书为文当然也有一系列并不落后的文化哲学观念在左右,但留给社会的整体形象,已成为一个毛笔世界里不倦的爬剔者。他写于一九三六年二月的一篇散文《买墨小记》,道尽了他所沉溺的那个天地,也展露了那个天地中的他。文章写得很有韵味,不妨抄下一段:

> 我写字多用毛笔,这也是我落伍之一。但是习惯了不能改,只好就用下去,而毛笔非墨不可,又只得买墨。本来墨汁是最便也最经济的,可是胶太重,不知道用的什么烟,难保没有"化学"的东西,写在纸上常要发青,写稿不打紧,想要稍保存就很不合适了。……
>
> 买墨为的是用,那么一年买一两半两就够了。这话原是不错的,事实上却不容易照办,因为多买一两块留着玩玩也是人之常情。

墨到可玩的地步当然是要有年代的，周作人买来磨的是光绪至道光年间的墨。据说严格一点应该用光绪五年以前的墨，再后面，墨法已遭浩劫。周作人还搜集到了俞樾、赵之谦、范寅等人的著书之墨，“舍不得磨，只是放着看看而已”。周作人不是收藏家，他的玩墨，反映了一种人格情趣。而这种人格情趣又偏偏出现在一位新文化代表人物的身上，真是既奇异又必然。

很巧，就在周作人写《买墨小记》的半年前，他的哥哥鲁迅也写了一篇有关笔墨的文章，题曰《论毛笔之类》。尽管不是故意的，兄弟俩围绕着同一个问题发表的意见大相径庭，真可称作是一场“笔墨官司”了。鲁迅说：

> 我自己是先在私塾里用毛笔，后在学校里用钢笔，后来回到乡下又用毛笔的人，却以为假如我们能够悠悠然，洋洋焉，拂砚伸纸，磨墨挥毫的话，那么，羊毫和松烟当然也很不坏。不过事情要做得快，字要写得多，可就不成功了，这就是说，它敌不过钢笔和墨水。譬如在学校里抄讲义罢，即使改用墨盒，省去临时磨墨之烦，但不久，墨汁也会把毛笔胶住，写不开了，你还得带洗笔的水池，终于弄到在小小的桌子上，摆开“文房四宝”。况且毛笔尖触纸的多少，就是字的粗细，是全靠手腕作主的，因此也容易疲劳，越写越慢。闲人不要紧，一忙，就觉得无论如何，总是墨水和钢笔便当了。

两位成熟的大学者忽然都在乍看起来十分琐碎的用笔用墨问题上大做文章，似乎令人奇怪，但细细品味他们的文句即可明白，这里潜伏着一种根本性的人格对峙。鲁迅洒笔开去,从用笔说到了中国社会变革的一个大课题:“便于使用的器具的力量,是决非劝谕、讥刺、痛骂之类的空言所能制止的。假如不信,你倒去劝那些坐汽车的人,在北方改用骡车,在南方改用绿呢大轿试试看。”鲁迅说,改造传统很艰难,而禁止青年人却很容易。在中国,当“改造传统”和“禁止青年”各不相让的时候,常常是后者占上风。但禁止的结果只能是“使一部分青年又变成旧式的斯文人”。

鲁迅究竟是鲁迅,他从笔说到了人。“笔墨官司”所打的,原来是青年一代中国文人的人格选择。

这种人格选择的实际范畴当然比用笔用墨大得多。就在周氏兄弟写文章的前两年,当年讽刺过林琴南的五四文化新人刘半农作为教授参加北京大学招生阅卷,见到一位考生把“昌明文化”误写成了“倡明文化”,他竟为此发表了诗作并加注,考证“倡”即“娼”,嘲笑学生是不是指“文化由娼妓而明”。刘半农的这种讽刺显然是极不厚道的,但更重要的是,他如今心目中青年学生应有的形象已经纳入一条乾嘉式的道路。为此,其他新文化人士十分不满,记得曹聚仁还借此发表了一个著名的观点:我们以为青年人错了的地方,很可能恰恰是对的,我们今天以为正字的,很可能是真正的别字;中国文字构架如此宏大繁复,青年人难免会经常写别字、读别字,这是青年人应享的权利。

曹聚仁也够水准,他同样从别字说到了人,与鲁迅相呼应。他国学根底深厚,却不主张让青年人重返港湾和庭院,反对他们在毛笔文化中把聪明才智耗尽。宁肯鲁莽粗糙一点,也不要成为古风翩然、国学负担沉重的旧式斯文人。

六

过于迷恋承袭，过于消磨时间，过于注重形式，过于讲究细节，毛笔文化的这些特征，正恰是中国传统文人群体人格的映照，在总体上，它应该淡隐了。

这并不妨碍书法作为一种传统艺术光耀百世。喧闹迅捷的现代社会时时需要获得审美慰抚，书法艺术对此功效独具。我自己每每在头昏脑胀之际，近乎本能地把手伸向那些碑帖。只要轻轻翻开，洒脱委和的气韵立即扑面而来。

我真希望有更多的中国人能够擅长此道，但良知告诉我，这个民族的生命力还需要在更宽广的天地中展开。健全的人生须不断立美逐丑，然而，有时我们还不得不告别一些美，张罗一个个酸楚的祭奠。世间最让人消受不住的，就是对美的祭奠。

只好请当代书法家们好生努力了，使我们在祭奠之后还能留下较多的安慰。

夜航船

我的书架上有一部明代文学家张岱的《夜航船》。这是一部许多学人查访终身而不得的书，新近根据宁波天一阁所藏抄本印出。书很厚，书脊显豁，插在书架上十分醒目。文学界的朋友来寒舍时，常常认为是一部新出的长篇小说。这部明代小百科的书名确实太有意思了，连我自己巡睃书架时也常常会让目光在那里顿一顿，耳边响起欸乃的橹声。

夜航船，历来是中国南方水乡苦途长旅的象征。我的家乡山岭丛集，十分闭塞，却有一条河流悄然穿入。每天深夜，总能听到笃笃笃的声音从河畔传来，这是夜航船来了，船夫看到岸边屋舍，就用木棍敲着船帮，招唤着准备远行的客人，山民们夜夜听到这个声音，习以为常，但终于，也许是身边的日子实在混不下去了，也许是憨拙的头脑中突然卷起了幻想的波澜，这笃笃笃的声音产生了莫大的诱惑。不知是哪一天，他们吃过一顿稍稍丰盛的晚餐，早早地收拾好简薄的行囊，与妻儿们一起坐在闪烁的油灯下等候这笃笃声。

当敲击船帮的声音终于响起时，年幼的儿子们早已歪歪扭扭地睡熟，山民粗粗糙糙地挨个儿摸了一下他们的头，随即用拳头擦了擦眼角，快步走出屋外。蓬头散发的妻子提着包袱跟在后面，没有一句话。

外出的山民很少有回来的。有的妻子，实在无以为生了，就在丈夫上船的河滩上，抱着儿子投了水。这种事一般发生在黑夜，惨淡的月光照了一下河中的涟漪，很快什么也没有了。过不了多久，夜航船又来了，依然是笃笃笃、笃笃笃，慢慢驶过。

偶尔也有些叫人羡慕的信息传来。乡间竟出现了远途而来的老邮差，手中拿着一封夹着汇票的信。于是，这家人家的木门槛的几天内就会跨进无数双泥脚。夜间，夜航船的敲击声更其响亮了，许多山民开始失眠。

几张汇票使得乡间有了私塾。一些幸运的孩子开始跟着一位外乡来的冬烘先生大声念书。进私塾的孩子有时也会被笃笃声惊醒，翻了一个身，侧耳静听。这声音，与山腰破庙里的木鱼声太像了，那是祖母们向往的声音。

二

一个坐夜航船到上海去谋生的人突然成了暴发户。他回乡重修宅院，为了防范匪盗，在宅院四周挖了河，筑一座小桥开通门户。宅院东侧的河边，专修一个船码头，夜航船每晚要在那里停靠，他们家的人员货物往来多得很。夜航船专为他们辟了一个精雅小舱，经常有人从平展展的青石阶梯上下来，几个佣人挑着足够半月之用的食物上船。有时，佣人手上还会提着一捆书，这在乡间是稀罕之物。山民们傻想着小舱内酒足饭饱、展卷卧读的神仙日子。

船老大也渐渐气派起来。我家邻村就有一个开夜航船的船老大，早已成为全村艳羡的角色。过去，坐他船的大多是私盐贩子，因此航船经常要在沿途受到缉查。缉查到了，私盐贩子总被捆绑起来，去承受一种叫做“趱杠”的酷刑。这种酷刑常常使私盐贩子一命呜呼。船老大也会被看成是同伙，虽不做“趱杠”，却要吊打。现在，缉查人员拦住夜航船，见到的常常是神态高傲的殷富文士，只好点头哈腰连忙放行。船老大也就以利言相讥，出一口积压多年的鸟气。

每次船老大回村，总是背着那支大橹。航船的橹背走了，别人也就无法偷走那条船。这支橹，就像现今小汽车上的钥匙。船老大再劳累，背橹进村时总把腰挺得直直的，摆足了一副凯旋的架势。放下橹，草草洗过脸，就开始喝酒。灯光亮堂，并不关门，让亮光照彻全村。从别的码头顺带捎来的下酒菜，每每引得乡人垂涎欲滴。连灌数盅后他开始讲话，内容不离这次航行的船客，谈他们的风雅和富有。

三

好多年前，我是被夜航船的笃笃声惊醒的孩子中的一个。如果是夏夜，我会起身，攀着窗沿去看河中那艘扁黑的船，它走得很慢，却总是在走，听大人说，明天傍晚就可走到县城。县城准是大地方，河更宽了，船更多了，一条条晶亮晶亮的水路，再也没有泥淖和杂藻，再也没有土岸和残埠，直直地通向天际。

第二天醒来，急急赶到船老大家，去抚摩那支大橹，木橹上过桐油，天天被水冲洗，非常干净。当时私塾已变成小学，学校的老师都是坐着航船来的，学生读完书也要坐着航船出去。整个学校，就像一个船码头。

橹声欸乃，日日夜夜，山村流动起来了。

夜航船，山村孩子心中的船，破残的农村求援的船，青年冒险家下赌注的船，文化细流浚通的船。

船头画着两只大大的虎眼，犁破狭小的河道，溅起泼剌剌的水声。

四

这下可以回过头来说说张岱的《夜航船》了。

这位大学者显然是夜航船中的常客。他如此博学多才。不可能长踞一隅。在明代，他广泛的游历和交往，不能不经常依靠夜航船。次数一多，他开始对夜航船中的小世界品味起来。

船客都是萍水相逢，无法作切己的深谈。可是船中的时日缓慢又无聊，只能以闲谈消遣。当时远非信息社会，没有多少轰动一时的新闻可以随意评说，谈来谈去，以历史文化知识最为相宜。中国历史漫长，文物典章繁复，谈资甚多。稍稍有点文化的人，正可借此比赛来炫示学问。一来二去，获得一点暂时的满足。

张岱是绍兴人，当时绍兴府管辖八县，我的家乡余姚正属其中。照张岱说法，绍兴八县中数余姚文化气息最浓，后生小子都得读书，结果那里各行各业的人对于历史文物典章，知之甚多，一旦聚在夜航船中，谈起来机锋颇健，十分热闹。因此，这一带的夜航船，一下去就像进入一个文化赛场。

他在《夜航船序》里记下了一个有趣的故事：

昔有一僧人，与一士子同宿夜航船。士子高谈阔论，僧畏慑，拳足而寝。僧人听其语有破绽，乃曰："请问相公，澹台灭明是一个人、两个人？"士子曰："是两个人。"僧曰："这等尧舜是一个人、两个人？"士子曰："自然是一个人！"僧乃笑曰："这等说起来，且待小僧伸伸脚。"

你看，知识的优势转眼间就成了占据铺位的优势。这个士子也实在是丢了吾乡的脸，不知道"澹台"是复姓倒也罢了，把尧、舜说成一个人是不可原谅的。让他缩头缩脚地蜷曲着睡，正是活该。但是，夜航船中也有不少真正的难题目，很难全然对答如流而不被人掩口耻笑。所以连张岱都说："天下学问，惟夜航船中最难对付。"

于是，他发心编一部初级小百科，列述一般中国文化常识，使士子们不要在类似于夜航船这样的场合频频露丑。他把这部小百科名之曰《夜航船》，当然只是一个潇洒幽默的举动，此书的实际效用远在闲谈场合之上。

五

但是，张岱的劳作，还是让我们看到了一种有趣的"夜航船文化"。这又是中国文化的一个可感叹之处。

在缓慢的航行进程中，细细品尝着已逝的陈迹，哪怕是一些琐碎的知识。不惜为千百年前的细枝末节争得脸红耳赤，反正有的是时间。中国文化的进程，正像这艘夜航船。

船头的浪，泼不进来；船外的风，吹不进来；航行的路程，早已预定。谈知识，无关眼下；谈历史，拒绝反思。十年寒窗，竟在谈笑争胜间消耗。把船橹托付给老大，士子的天地只在船舱。一番讥刺，一番炫耀，一番假惺惺的钦佩，一番自命不凡的陶醉，到头来，争得稍大一点的一个铺位，倒头便睡，换得个梦中微笑。

第二天，依然是这般喧闹，依然是这般无聊。船一程程行去，岁月一片片消逝，永远是喧闹的无聊，无聊的喧闹。

我一次次抚摩过的船橹，竟是划出了这样一条水路？我梦中的亮晶晶的水路，竟会这般黯然？

幸好，夜航船终于慢吞吞地走到了现代。吾乡的水路有了一点好的征兆：几位大师上船了。

我仿佛记得曾坐小船经过山阴道，两岸边的乌桕，新禾，野花，鸡，狗，丛树和枯树，茅屋，塔，伽蓝，农夫和村妇，村女，晒着的衣裳，和尚，蓑笠，天，云，竹，……都倒影在澄碧的小河中，随着每一打桨，各各夹带了闪烁的日光，并水里的萍藻游鱼，一同荡漾。诸影诸物，无不解散，而且摇动，扩大，互相融和；刚一融和，却又退缩，复近于原形。边缘都参差如夏云头，镶着日光，发出水银色焰。

——这是鲁迅在船上。

夜间睡在舱中，听水声橹声，来往船只的招呼声，以及乡间的犬吠鸡鸣，也都很有意思。雇一只船到乡下去看庙戏，可以了解中国旧戏的真趣味，而且在船上行动自如，要看就看，要睡就睡，要喝酒就喝酒，我觉得也可以算是理想的行乐法。

——这是周作人在船上。他不会再要高谈阔论的旅伴，只求个人的清静自由。

> 早春晚秋，船价很便宜，学生的经济力也颇能胜任。每逢星期日，出三四毛钱雇一只船，载着二三同学，数册书，一壶茶，几包花生米，与几个馒头，便可优游湖中，尽一日之长。……随时随地可以吟诗作画。“野航恰受两三人。”“恰受”两字的状态，在这种船上最充分地表出着。

——这是丰子恺在船上。他的船又热闹了，但全是同学少年，优游于艺术境界。

这些现代中国的航船虽然还是比较平缓、狭小，却终于有了明代所不可能有的色泽和气氛。

仍然想起张岱。他的惊人的博学使他以一人之力编出了一部百科全书式的《夜航船》，在他死后二十四年，远在千里之外的法国诞生了狄德罗，另一部百科全书将在这个人手上编成。这部百科全书，不是谈资的聚合，而是一种启蒙和挺进。从此，法国精神文化的航船最终摆脱了封建社会的黑夜，进入了一条新的河道。张岱做不到这地步，过错不在他。

卷三

千年庭院

一个王朝的背影

一

我们这些人，对清代总有一种复杂的情感阻隔。记得很小的时候，历史老师讲到"扬州十日"、"嘉定三屠"时，眼含泪花，这是清代的开始；而讲到"火烧圆明园"、"戊戌变法"时又有泪花了，这是清代的尾声。年迈的老师一哭，孩子们也跟着哭。清代历史，是小学中惟一用眼泪浸润的课程。从小种下的怨恨，很难化解得开。

老人的眼泪和孩子们的眼泪拌和在一起，使这种历史情绪有了一种最世俗的力量。我小学的同学全是汉族，没有满族，因此很容易在课堂里获得一种共同语言，好像汉族理所当然是中国的主宰，你满族为什么要来抢夺呢？抢夺去了能够弄好倒也罢了，偏偏越弄越糟，最后几乎让外国人给瓜分了。于是，在闪闪泪光中，我们懂得了什么是汉奸、什么是卖国贼、什么是民族大义、什么是气节。我们似乎也知道了中国之所以落后于世界列强，关键就在于清代，而辛亥革命的启蒙者们重新点燃汉人对满清的仇恨，提出"驱除鞑虏，恢复中华"的口号，又是多么有必要，多么让人解气。清朝终于被推翻了，但至今在很多中国人心里，它仍然是一种冤孽般的存在。

年长以后，我开始对这种情绪产生警惕。因为无数事实证明，在我们中国，许多情绪化的社会评判规范，虽然堂而皇之地传之久远，却包含着极大的不公正。我们缺少人类普遍意义上的价值启蒙，因此这些情绪化的社会评判规范大多是从封建正统观念逐渐引伸出来的，带有很多盲目性。先是姓氏正统论，刘汉、李唐、赵宋、朱明……，在同一姓氏的传代系列中所出现的继承人，哪怕是昏君、懦夫、色鬼、守财奴、精神失常者，都是合法而合理的，而外姓人氏若有觊觎，即便有一千条一万条道理，也站不住脚，真伪、正邪、忠奸全由此划分。由姓氏正统论扩而大之，就是民族正统论。这种观念要比姓氏正统论复杂得多，你看辛亥革命的闯将们与封建主义的姓氏正统论势不两立，却也需要大声宣扬民族正统论，便是例证。民族正统论涉及到几乎一切中国人都耳熟能详的许多著名人物和著名事件，是一个在今后仍然要不断争论的麻烦问题。在这儿请允许我稍稍回避一下，我需要肯定的仅仅是这样一点：满族是中国的满族，清朝的历史是中国历史的一部分；统观全部中国古代史，清朝的皇帝在总体上还算是比较好的，而其中的康熙皇帝甚至可说是中国历史上最好的皇帝之一，他与唐太宗李世民一样使我这个现代汉族中国人感到骄傲。

既然说到了唐太宗，我们又不能不指出，据现代历史学家考证，他更可能靠近于鲜卑族的血统。

如果说先后在巨大的社会灾难中迅速开创了“贞观之治”和“康雍乾盛世”的两位中国历史上最杰出帝王都不是汉族，如果我们还愿意想一想那位虽未执掌中原却至今还在被全世界历史学家惊叹的建立了赫赫武功的元太祖成吉思汗，那么我们的中华历史观一定会比小学里的历史课开阔得多，放达得多。

汉族当然非常伟大，汉族当然没有理由要受到外族的屠杀和欺凌，当自己的民族遭受危难时当然要挺身而出进行无畏的抗争，为了个人的私利不惜出卖民族利益的无耻之徒当然要受到永久的唾弃，这些都是没有异议的。问题是，不能由此而把汉族等同于中华，把中华历史的正义、光亮、希望，全部押在汉族一边。与其他民族一样，汉族也有大量的污浊、昏聩和丑恶，它的统治者常常一再地把整个中国历史推入死胡同。在这种情况下，历史有可能作出超越汉族正统论的选择，而这种选择又未必是倒退。

《桃花扇》中那位秦淮名妓李香君，身份低贱而品格高洁，在清兵浩荡南下、大明江山风雨飘摇时节保持着多大的民族气节！但是，她万万没有想到，就在她和她的恋人侯朝宗为抗清扶明不惜赴汤蹈火、奔走呼号的时候，恰恰正是苟延残喘而仍然荒淫无度的南明小朝廷，作践了他们。那个在当时当地看来既是明朝也是汉族的最后代表的弘光政权，根本不要她和她的姊妹们的忠君泪、报国心，而只要她们作为一个女人最可怜的色相。李香君真想与恋人一起为大明捐躯流血，但叫她恶心的是，竟然是大明的官僚来强逼她成婚而使她血溅纸扇，染成“桃花”。“桃花扇底送南朝”，这样的朝廷就让它去了吧，长叹一声，气节、操守、抗争、奔走，全都成了荒诞和自嘲。《桃花扇》的作者孔尚任是孔老夫子的后裔，连他，也对历史转折时期那种盲目的正统观念产生了深深的怀疑。他把这种怀疑，转化成了笔底的灭寂和苍凉。

对李香君和侯朝宗来说，明末的一切，看够了，清代会怎么样呢？不想看了。文学作品总要结束，但历史还在往前走，事实上，清代还是很可看看的。

为此，我要写写承德的避暑山庄。清代的史料成捆成扎，把这些留给历史学家吧，我们，只要轻手轻脚地绕到这个消夏的别墅里去偷看几眼也就够了。这种偷看其实也是偷看自己，偷看自己心底从小埋下的历史情绪和民族情绪，有多少可以留存，有多少需要校正。

二

承德的避暑山庄是清代皇家园林，又称热河行宫、承德离宫，虽然闻名史册，但久为禁苑，又地处塞外，历来光顾的人不多，直到这几年才被旅游者搅得有点热闹。我原先并不知道能在那里获得一点什么，只是今年夏天中央电视台在承德组织了一次国内优秀电视编剧和导演的聚会，要我给他们讲点课，就被他们接去了。住所正在避暑山庄的背后。刚到那天的薄暮时分，我独个儿走出住所大门，对着眼前黑黝黝的山岭发呆。查过地图，这山岭便是避暑山庄北部的最后屏障，就像一张罗圈椅的椅背。在这张罗圈椅上，休息过一个疲惫的王朝。奇怪的是，整个中华版图都已归属了这个王朝，为什么还要把这张休息的罗圈椅放到长城之外呢？清代的帝王们在这张椅子上面南而坐的时候都在想一些什么呢？月亮升起来了，眼前的山壁显得更加巍然怆然。北京的故宫把几个不同的朝代混杂在一起，谁的形象也看不真切，而在这里，远远的、静静的、纯纯的、悄悄的，躲开了中原王气，藏下了一个不羼杂的清代。它实在对我产生了一种巨大的诱惑，于是匆匆讲完几次课，便一头埋到了山庄里边。

山庄很大，本来觉得北京的颐和园已经大得令人咋舌了，它竟比颐和园还大整整一倍，据说装下八九个北海公园是没有问题的。我想不出国内还有哪个古典园林能望其项背。山庄外面还有一圈被称之为“外八庙”的寺庙群，这暂不去说它，光说山庄里面，除了前半部有层层叠叠的宫殿外，主要是开阔的湖区、平原区和山区。尤其是山区，几乎占了整个山庄的八成左右，这让游惯了别的园林的人很不习惯。园林是用来休闲的，何况是皇家园林，大多追求方便平适，有的也会堆几座小山装点一下，哪有像这儿的，硬是圈进莽莽苍苍一大片真正的山岭来消遣？这个格局，包含着一种需要我们抬头仰望、低头思索的审美观念和人生观念。

山庄里有很多楹联和石碑，上面的文字大多由皇帝们亲自撰写。他们当然想不到多少年后会有我们这些陌生人闯入他们的私家园林，来读这些文字，这些文字是写给他们后辈继承人看的。朝廷给别人看的东西很多，有大量刻印广颁的官样文章，而写在这里的文字，尽管有时也咬文嚼字，但总的说来是说给儿孙们听的体己话，比较真实可信。我踏着青苔和蔓草，辨识和解读着一切能找到的文字，连藏在山间树林中的石碑都不放过，读完一篇，便舒松开筋骨四周看看。一路走去，终于可以有把握地说，山庄的营造，完全出自一代政治家在精神上的强健。

首先是康熙。山庄正宫午门上悬挂着的“避暑山庄”四个字就是他写的，这四个汉字写得很好，撇捺间透露出一个胜利者的从容和安详，可以想见他首次踏进山庄的步履也是这样的。他一定会这样，因为他是走了一条艰难而又成功的长途才走进山庄的，到这里来喘口气，应该。

他一生的艰难都是自找的。他的父辈本来已经给他打下了一个很完整的华夏江山，他八岁即位，十四岁亲政，年轻轻一个孩子，坐享其成就是了，能在如此辽阔的疆土、如此兴盛的运势前做些什么呢？他稚气未脱的眼睛，竟然疑惑地盯上了两个庞然大物，一个是朝廷中最有权势的辅政大臣鳌拜，一个是自恃当初做汉奸领清兵入关有功、拥兵自重于南方的吴三桂。平心而论，对于这样与自己的祖辈、父辈都有密切关系的重要政治势力，即便是德高望重的一代雄主也未必下得了决心去动手，但康熙却向他们，也向自己挑战了。十六岁上干净利落地除了鳌拜集团，二十岁开始向吴三桂开战，花八年时间的征战取得彻底胜利。他等于把到手的江山重新打理了一遍，使自己从一个继承者变成了创业者。他成熟了，眼前几乎已经找不到什么对手，但他还是经常骑着马，在中国北方的山林草泽间徘徊，这是他祖辈崛起的所在，他在寻找着自己的生命和事业的依托点。

他每次都要经过长城，长城多年失修，已经破败。对着这堵受到历代帝王切切关心的城墙，他想了很多。他的祖辈是破长城进来的，没有吴三桂也绝对进得了，那么长城究竟有什么用呢？堂堂一个朝廷，难道就靠这些砖块去保卫？但是如果没有长城，我们的防线又在哪里呢？他思考的结果，可以从一六九一年他的一份上谕中看出个大概。那年五月，古北口总兵官蔡元向朝廷提出，他所管辖的那一带长城"倾塌甚多，请行修筑"，康熙竟然完全不同意，他的上谕是：

> 秦筑长城以来，汉、唐、宋亦常修理，其时岂无边患？明末我太祖统大兵长驱直入，诸路瓦解，皆莫能当。可见守国之道，惟在修德安民。民心悦则邦本得，而边境自固，所谓"众志成城"者是也。如古北、喜峰口一带，朕皆巡阅，概多损坏，今欲修之，兴工劳役，岂能无害百姓？且长城延袤数

千里，养兵几何方能分守？

说得实在是很有道理。我对埋在我们民族心底的“长城情结”一直不敢恭维，读了康熙这段话，简直找到了一个远年知音。由于这样说，清代成了中国古代基本上不大修长城的一个朝代，对此我也觉得不无痛快。当然，我们今天从保护文物的意义上去修理长城完全是另外一回事了。

康熙希望能筑起一座无形的长城。“修德安民”云云说得过于堂皇而蹈空，实际上他有硬的一手和软的一手。硬的一手是在长城外设立“木兰围场”，每年秋天，由皇帝亲自率领王公大臣、各级官兵一万余人去进行大规模的“围猎”，实际上是一种声势浩大的军事演习，这既可以使王公大臣们保持住勇猛、强悍的人生风范，又可顺便对北方边境起一个威慑作用。“木兰围场”既然设在长城之外的边远地带，离北京就很有一点距离，如此众多的朝廷要员前去秋猎，当然要建造一些大大小小的行宫，而热河行宫，就是其中最大的一座。软的一手是与北方边疆的各少数民族建立起一种常来常往的友好关系，他们的首领不必长途进京也有与清廷彼此交谊的机会和场所，而且还为他们准备下各自的宗教场所，这也就需要有热河行宫和它周围的寺庙群了。总之，软硬两手最后都汇集到这一座行宫、这一个山庄里来了，说是避暑，说是休息，意义却又远远不止于此。把复杂的政治目的和军事意义转化为一片幽静闲适的园林，一圈香火缭绕的寺庙，这不能不说是康熙的大本事。然而，眼前又是道道地地的园林和寺庙，道道地地的休息和祈祷，军事和政治，消解得那样烟水葱茏、慈眉善目，如果不是那些石碑提醒，我们甚至连可以疑惑的痕迹都找不到。

避暑山庄其实就是康熙的“长城”，与蜿蜒千里的秦始皇长城相比，哪个更高明些呢？

康熙几乎每年立秋之后都要到“木兰围场”参加一次为期二十天的秋猎，一生参加了四十八次。每次围猎，情景都极为壮观，先由康熙选定逐年轮换的狩猎区域（逐年轮换是为了生态保护），然后就搭建一百七十多座大帐篷为“内城”，二百五十多座大帐篷为“外城”，城外再设警卫。第二天拂晓，八旗官兵在皇帝的统一督导下集结围拢，在上万官兵的齐声呐喊下，康熙首先一马当前，引弓射猎，每有所中便引来一片欢呼，然后扈从大臣和各级将士也紧随康熙射猎。康熙身强力壮，骑术高明，围猎时智勇双全，弓箭上的功夫更让王公大臣由衷惊服，因而他本人的猎获就很多。晚上，营地上篝火处处，肉香飘荡，人笑马嘶，而康熙还必须回到帐篷里批阅每天疾驰送来的奏章文书。康熙一生身先士卒打过许多著名的仗，但在晚年，他最得意的还是自己打猎的成绩，因为这纯粹是他个人生命力的验证。一七一九年康熙自“木兰围场”行猎后返回避暑山庄时曾兴致勃勃地告谕御前侍卫：

> 朕自幼至今已用鸟枪弓矢获虎一百五十三只，熊十二只，豹二十五只，猞二十只，麋鹿十四只，狼九十六只，野猪一百三十三只，哨获之鹿已数百，其余围场内随便射获诸兽不胜记矣。朕于一日内射兔三百一十八只，若庸常人毕世亦不能及此一日之数也。

这笔流水账，他说得很得意，我们读得也很高兴。身体的强健和精神的强健往往是连在一起的，须知中国历史上多的是有气无力病恹恹的皇帝，他们即便再"内秀"，也何以面对如此庞大的国家。

由于强健，他有足够的精力处理挺复杂的西藏事务和蒙古事务，解决治理黄河、淮河和疏通漕运等大问题，而且大多很有成效，功泽后世。由于强健，他还愿意勤奋地学习，结果不仅武功一流，"内秀"也十分了得，成为中国历代皇帝中特别有学问，也特别重视学问的一位。这一点一直很使我震动，而且我可以肯定，当时也把一大群冷眼旁观的汉族知识分子震动了。

谁能想得到呢，这位满清帝王竟然比明代历朝皇帝更热爱和精通汉族传统文化！大凡经、史、子、集、诗、书、音律，他都下过一番功夫，其中对朱熹哲学钻研最深。他亲自批点《资治通鉴纲目大全》，与一批著名的理学家进行水平不低的学术探讨，并命他们编纂了《朱子大全》、《性理精义》等著作。他下令访求遗散在民间的善本珍籍加以整理，并且大规模地组织人力编辑出版了卷帙浩繁的《古今图书集成》、《康熙字典》、《佩文韵府》、《大清会典》，文化气魄铺地盖天。直到今天，我们研究中国古代文化还离不开这些极其重要的工具书。他派人通过对全国土地的实际测量，编成了全国地图《皇舆全览图》。在他倡导的文化气氛下，涌现了一大批在整个中国文化史上都可以称得上第一流大师的人文科学家，在这一点上，几乎很少有哪个朝代能与康熙朝相比肩。

以上讲的还只是我们所说的"国学"，可能更让现代读者惊异的是他的"西学"。因为即使到了现代，在我们印象中，国学和西学虽然可以沟通，但在同一个人身上深潜两边的毕竟不多，尤其对一些官员来说更是如此。然而早在三百年前,康熙皇帝竟然在北京故宫和承德避暑山庄认真研究了欧几里德几何学,经常演算习题,又学习了法国数学家巴蒂的《实用和理论几何学》,并比较它与欧几里德几何学的差别。他的老师是当时来中国的一批西方传教士,但后来他的演算比传教士还快。他亲自审校译成汉文和满文的西方数学著作,而且一有机会就向大臣们讲授西方数学。以数学为基础,康熙又进而学习了西方的天文、历法、物理、医学,与中国原有的这方面知识比较,取长补短。在自然科学问题上,中国官僚和外国传教士经常发生矛盾,康熙不袒护中国官僚,也不主观臆断,而是靠自己发愤学习,真正弄通西方学说,几乎每次都作出了公正的裁断。他任命一名外国人担任钦天监监副,并命令礼部挑选一批学生去钦天监学习自然科学,学好了就选拔为博士官。西方的自然科学著作《验气图说》、《仪象志》、《赤道南北星图》、《穷理学》、《坤舆图说》等等被一一翻译过来,有的已经译成汉文的西方自然科学著作如《几何原理》前六卷他又命人译成满文。

这一切,居然与他所醉心的"国学"互不排斥,居然与他一天射猎三百一十八只野兔互不排斥,居然与他一连串重大的政治行为、军事行为、经济行为互不排斥!我并不认为康熙给中国带来了根本性的希望,他的政权也做过不少坏事,如臭名昭著的"文字狱"之类,我想说的只是,在中国历代帝王中,这位少数民族出身的帝王具有异乎寻常的生命力,他的人格比较健全。有时,个人的生命力和人格,会给历史留下重重的印记。与他相比,明代的许多皇帝都活得太不像样了,鲁迅说他们是"无赖儿郎",确有点像。尤其让人生气的是明代万历皇帝(神宗)朱翊钧,在位四十八年,亲政三十八年,竟有二十五年时间躲在深宫之内不见外人的面，完全不理国事，连内阁首辅也见不到他，不知在干什么。没见他玩过什么，似乎也没有好色的嫌疑，历史学家们只能推断他躺在烟榻上抽了二十多年的鸦片烟！他聚敛的金银如山似海，但当清军起事，朝廷束手无策时问他要钱，他死也不肯拿出来，最后拿出一个无济于事的小零头，竟然都是因窖藏太久变黑发霉、腐蚀得不能见天日的银子！这完全是一个失去任何人格支撑的心理变态者，但他又集权于一身，明朝怎能不垮？他死后还有儿子朱常洛（光宗）、孙子朱由校（熹宗）和朱由检（思宗）先后继位，但明朝已在他的手里败定了，他的儿孙们非常可怜；康熙与他正相反，把生命从深宫里释放出来，在旷野、猎场和各个知识领域挥洒，避暑山庄就是他这种生命方式的一个重要吐纳口站，因此也是当时中国历史命运的一所"吉宅"。

三

康熙与晚明帝王的对比，避暑山庄与万历深宫的对比，当时的汉族知识分子当然也感受到了，心情比较复杂。

开始大多数汉族知识分子都坚持抗清复明，甚至在赳赳武夫们纷纷掉头转向之后，一群柔弱的文人还宁死不屈。文人中也有一些著名的变节者，但他们往往也承受着深刻的心理矛盾和精神痛苦。我想这便是文化的力量。一切军事争逐都是浮面的，而事情到了要摇撼某个文化生态系统的时候才会真正变得严重起来。一个民族、一个国家、一个人种，其最终意义不是军事的、地域的、政治的，而是文化的。当时江南地区好几次重大的抗清事件，都起之于"削发"之事，即汉人历来束发而清人强令削发，甚至到了"留头不留发，留发不留头”的地步。头发的样式看来事小却关及文化生态，结果，是否“毁我衣冠”的问题成了“夷夏抗争”的最高爆发点。这中间，最能把事情与整个文化系统联系起来的是文化人，最懂得文明和野蛮的差别，并把“鞑虏”与野蛮连在一起的也是文化人。老百姓的头发终于被削掉了，而不少文人还在拼死坚持。著名大学者刘宗周住在杭州，自清兵进杭州后便绝食，二十天后死亡；他的门生，另一位著名大学者黄宗羲投身于武装抗清行列，失败后回余姚家乡事母著述；又一位著名大学者顾炎武比黄宗羲更进一步，武装抗清失败后还走遍全国许多地方图谋复明，最后终老陕西……这些一代宗师如此强硬，他们的门生和崇拜者们当然也多有追随。

但是，事情到了康熙那儿却发生了一些微妙的变化。文人们依然像朱耷笔下的秃鹰，以“天地为之一寒”的冷眼看着朝廷，而朝廷却奇怪地流泻出一种压抑不住的对汉文化的热忱。开始大家以为是一种笼络人心的策略，但从康熙身上看好像不完全是。他在讨伐吴三桂的战争还没有结束的时候，就迫不及待地下令各级官员以“崇儒重道”为目的，向朝廷推荐“学问兼优、文词卓越”的士子，由他亲自主考录用，称作“博学鸿词科”。这次被保荐、征召的共一百四十三人，后来录取了五人。其中有傅山、李颙等人被推荐了却宁死不应考。傅山被人推荐后又被强抬进北京，他见到“大清门”三字便滚倒在地，两泪直流，如此行动康熙不仅不怪罪反而免他考试，任命他为“中书舍人”。他回乡后不准别人以“中书舍人”称他，但这个时候说他对康熙本人还有多大仇恨，大概谈不上了。

李颙也是如此，受到推荐后称病拒考，被人抬到省城后竟以绝食相抗，别人只得作罢。这事发生在康熙十七年，康熙本人二十六岁，没想到二十五年后，五十余岁的康熙西巡时还记得这位强硬的学人，召见他，他没有应召，但心里毕竟已经很过意不去了，派儿子李慎言作代表应召，并送自己的两部著作《四书反身录》和《二曲集》给康熙。这件事带有一定的象征性，表示最有抵触的汉族知识分子也开始与康熙和解了。

与李颙相比，黄宗羲是大人物了，康熙更是礼仪有加，多次请黄宗羲出山未能如愿，便命令当地巡抚到黄宗羲家里，把黄宗羲写的书认真抄来，送入宫内以供自己拜读。这一来，黄宗羲也不能不有所感动。与李颙一样，自己出面终究不便，由儿子代理，黄宗羲让自己的儿子黄百家进入皇家修史局，帮助完成康熙交下的修《明史》的任务。你看，即便是原先与清廷不共戴天的黄宗羲、李颙他们，也觉得儿子一辈可以在康熙手下好生过日子了。这不是变节，也不是妥协，而是一种文化生态意义上的开始认同。既然康熙对汉文化认同得那么诚恳，汉族文人为什么就完全不能与他认同呢？政治军事，不过是文化的外表罢了。

黄宗羲不是让儿子参加康熙下令编写的《明史》吗？编《明史》这事给汉族知识界震动不小。康熙任命了大历史学家徐元文、万斯同、张玉书、王鸿绪等负责此事，要他们根据《明实录》如实编写，说“他书或以文章见长，独修史宜直书实事”，他还多次要大家仔细研究明代晚期破败的教训，引以为戒。汉族知识界要反清复明，而清廷君主竟然亲自领导着汉族的历史学家在冷静研究明代了。这种研究又高于反清复明者的思考水平，那么，对峙也就不能不渐渐化解了。《明史》后来成为整个二十四史中写得较好的一部，这是直到今天还要承认的事实。

当然,也还余留着几个坚持不肯认同的文人。例如康熙时代浙江有个学者叫吕留良的,在著书和讲学中还一再强调孔子思想的精义是“尊王攘夷”,这个提法,在他死后被湖南一个叫曾静的落第书生看到了,很是激动,赶到浙江找到吕留良的儿子和学生几人,筹划反清。这时康熙也早已过世,已是雍正年间,这群文人手下无一兵一卒,能干成什么事呢?他们打听到川陕总督岳钟琪是岳飞的后代,想来肯定能继承岳飞遗志来抗击外夷,就派人带给他一封策反的信,眼巴巴地请他起事。这事说起来已经有点近乎笑话,岳飞抗金到那时已隔着整整一个元朝、整整一个明朝,清朝也已过了八九十年,算到岳钟琪身上都是多少代的事啦,还想着让他凭着一个“岳”字拍案而起,中国书生的昏愚和天真就在这里。岳钟琪是清朝大官,做梦也没有想到过要反清,接信后虚假地应付了一下,却理所当然地报告了雍正皇帝。雍正下令逮捕了这个谋反集团,又亲自阅读了书信、著作,觉得其中有好些观念需要自己写文章来与汉族知识分子辩论,而且认为有过康熙一代,朝廷已有足够的事实和勇气证明清代统治者并不差,为什么还要对抗清廷?于是这位皇帝亲自编了一部《大义觉迷录》颁发各地,而且特免肇事者曾静等人的死罪,让他们专到江浙一带去宣讲。

雍正的《大义觉迷录》写得颇为诚恳。他的大意是:不错,我们是夷人,我们是“外国”人,但这是籍贯而已,天命要我们来抚育中原生民,被抚育者为什么还要把华、夷分开来看?你们所尊重的舜是东夷之人,文王是西夷之人,这难道有损于他们的圣德吗?吕留良这样著书立说的人,连前朝康熙皇帝的文治武功、赫赫盛德都加以隐匿和诬蔑,实在是不顾民生国运只泄私愤了。外族入主中原,可能反而勇于为善，如果著书立说的人只认为生在中原的君主不必修德行仁也可享有名分，而外族君主即便励精图治也得不到褒扬，外族君主为善之心也会因之而懈怠，受苦的不还是中原百姓吗？

雍正的这番话，带着明显的委屈情绪，而且是给父亲康熙打抱不平，也真有一些动人的地方。但他的整体思维能力显然比不上康熙，口口声声说自己是“外国”人、“夷人”，尽管他所说的“外国”只是指外族，而且也仅指中原地区之外的几个少数民族，与我们今天所说的外国不同，但无论如何在一些前提性的概念上把事情搞复杂了，反而不利。他的儿子乾隆看出了这个毛病，即位后把《大义觉迷录》全部收回，列为禁书，杀了被雍正赦免了的曾静等人，开始大兴文字狱。康熙、雍正年间也有丑恶的文字狱，但来得特别厉害的是乾隆，他不许汉族知识分子把清廷看成是“夷人”，连一般文字中也不让出现“虏”、“胡”这类字样，不小心写出来了很可能被砍头。他想用暴力抹去这种对立，然后一心一意做个好皇帝。除了华夷之分的敏感点外，其他地方他倒是比较宽容、有度量，听得进忠臣贤士们的尖锐意见和建议，因此在他执政的前期，做了很多好事，国运可称昌盛。这样一来，即便存有异念的少数汉族知识分子也不敢有什么想头，到后来也真没有什么想头了。其实本来这样的人已不可多觅，雍正和乾隆都把文章做过了头。真正第一流的大学者，在乾隆时代已不想做反清复明的事了。乾隆靠着人才济济的智力优势，靠着康熙、雍正给他奠定的丰厚基业，也靠着他本人的韬略雄才，做起了中国历史上福气最好的大皇帝。承德避暑山庄，他来得最多，总共逗留的时间很长，因此他的踪迹更是随处可见。乾隆也经常参加“木兰秋猎”，亲自射获的猎物也极为可观，但他的主要心思却放在边疆征战上，避暑山庄和周围的外八庙内，记载这种征战成果的碑文极多。这种征战与汉族的利益没有冲突，反而弘扬了中国的国威，连汉族知识界也引以为荣，甚至可以把乾隆看成是华夏圣君了，但我细看碑文之后却产生一个强烈的感觉：有的仗迫不得已，打打也可以，但多数边界战争的必要性深可怀疑。需要打得这么大吗？需要反复那么多次吗？需要这样强横地来对待邻居吗？需要杀得如此残酷吗？

好大喜功的乾隆把他的所谓“十全武功”雕刻在避暑山庄里乐滋滋地自我品尝，这使山庄回荡出一些燥热而又不祥的气氛。在满、汉文化对峙基本上结束之后，这里洋溢着的是中华帝国的自得情绪。江南塞北的风景名胜在这里聚会，上天的惟一骄子在这里安驻，再下令编一部综览全部典籍的《四库全书》在这里存放，几乎什么也不缺了。乾隆不断地写诗，说避暑山庄里的意境已远远超过唐宋诗词里的描绘，而他则一直等着到时间卸任成为“林下人”，在此间度过余生。在山庄内松云峡的同一座石碑上，乾隆一生竟先后刻下了六首御制诗表述这种自得情怀。

是的，乾隆一朝确实不算窝囊，但须知这已是十八世纪（乾隆正好死于十八世纪最后一年），十九世纪已经迎面而来，世界发生了多大的变化！乾隆打了那么多仗，耗资该有多少？他重用的大贪官和珅，又把国力糟蹋到了何等地步？事实上，清朝，乃至于中国的整体历史悲剧，就在乾隆这个貌似全盛期的皇帝身上，在山水宜人的避暑山庄内，已经酿就。但此时的避暑山庄，还完全沉湎在中华帝国的梦幻之中，而全国的文化良知，也都在这个梦幻的边沿或是陶醉、或是喑哑。

一七九三年九月十四日，一个英国使团来到避暑山庄，乾隆以盛宴欢迎，还在山庄的万树园内以大型歌舞和焰火晚会招待，避暑山庄一片热闹。英方的目的是希望乾隆同意他们派使臣常驻北京，在北京设立洋行，希望中国开放天津、宁波、舟山为贸易口岸，在广州附近拨一些地方让英商居住，又希望英国货物在广州至澳门的内河流通时能获免税和减税的优惠。本来，这是可以谈判的事，但对居住在避暑山庄、一生喜欢用武力炫耀华夏威仪的乾隆来说却不存在任何谈判的可能。他给英国国王写了信，信的标题是《赐英吉利国王敕书》，信内对一切要求全部拒绝，说“天朝尺土俱归版籍，疆址森然，即使岛屿沙洲，亦必划界分疆各有专属”、“从无外人等在北京城开设货行之事”、“此与天朝体制不合，断不可行！”也许至今有人认为这几句话充满了爱国主义的凛然大义，与以后清廷签订的卖国条约不可同日而语，对此我实在不敢苟同。

本来康熙早在一六八四年就已开放海禁，在广东、福建、浙江、江苏分设四个海关欢迎外商来贸易，过了七十多年乾隆反而关闭其他海关只许外商在广州贸易，外商在广州也有许多可笑的限制，例如不准学说中国话、买中国书，不许坐轿，更不许把妇女带来等等。我们闭目就能想像朝廷对外国人的这些限制是出于何种心理规定出来的。康熙向传教士学西方自然科学，关系不错，而乾隆却把天主教给禁了。自高自大，无视外部世界，满脑天朝意识，这与以后的受辱挨打有着必然的逻辑联系。乾隆在避暑山庄训斥外国帝王的朗声言词，就连历史老人也会听得不太顺耳了。这座园林，已掺杂进某种凶兆。

四

我在山庄松云峡细读乾隆写了六首诗的那座石碑时，在碑的西侧又读到他儿子嘉庆的一首。嘉庆即位后经过这里，读了父亲那些得意洋洋的诗作后不禁长叹一声：父亲的诗真是深奥，而我这个做儿子的却实在觉得肩上的担子太重了！（“瞻题蕴精奥，守位重仔肩”）嘉庆为人比较懦弱宽厚，在父亲留下的这副担子前不知如何是好。他一生都在面对内忧外患，最后不明不白地死在避暑山庄。

道光皇帝继嘉庆之位时已四十来岁，没有什么才能，只知艰苦朴素，穿的裤子还打过补钉。这对一国元首来说可不是什么佳话。朝中大臣竞相摹仿，穿了破旧衣服上朝，一眼看去，这个朝廷已经没有多少气数了。父亲死在避暑山庄，畏怯的道光也就不愿意去那里了，让它空关了几十年。他有时想想也该像祖宗一样去打一次猎，打听能不能不经过避暑山庄就可以到“木兰围场”，回答说没有别的道路，他也就不去打猎了。像他这么个可怜巴巴的皇帝，似乎本来就与山庄和打猎没有缘分，鸦片战争已经爆发，他忧愁的目光只能一直注视着南方。

避暑山庄一直关到一八六〇年九月，突然接到命令，咸丰皇帝要来，赶快打扫。咸丰这次来时带的银两特别多，原来是来逃难的，英法联军正威胁着北京。咸丰这一来就不走了，东走走西看看，庆幸祖辈留下这么个好地方让他躲避。他在这里又批准了好几份丧权辱国的条约，但签约后还是不走，直到一八六一年八月二十二日死在这儿，差不多住了近一年。

咸丰一死，避暑山庄热闹了好些天，各种政治势力围着遗体进行着明明暗暗的较量。一场被历史学家称之为“辛酉政变”的行动方案在山庄的几间屋子里制定，然后，咸丰的灵柩向北京启运了，刚继位的小皇帝也出发了，浩浩荡荡。避暑山庄的大门又一次紧紧地关住了，而就在这支浩浩荡荡的队伍中间，很快站出来一个二十七岁的青年女子，她将统治中国数十年。

她就是慈禧，离开了山庄后再也没有回来，不久又下了一道命令，说热河避暑山庄已经几十年不用，殿亭各宫多已倾圮，只是咸丰皇帝去时稍稍修治了一下，现在咸丰已逝，众人已走，“所有热河一切工程，着即停止”。

这个命令，与康熙不修长城的谕旨前后辉映。康熙的“长城”也终于倾坍了，荒草凄迷，暮鸦回翔，旧墙斑剥，霉苔处处，而大门却紧紧地关着。关住了那些宫殿房舍倒也罢了，还关住了那么些苍郁的山，那么些晶亮的水。在康熙看来，这儿就是他心目中的清代，但清代把它丢弃了，被丢弃了的它可怜，丢弃了它的清代更可怜，连一把罗圈椅也坐不到了，凄凄惶惶，丧魂落魄。慈禧在北京修了一个颐和园，与避暑山庄对抗，塞外朔北的园林不会再有对抗的能力和兴趣，它似乎已属于另外一个时代。康熙连同他的园林一起失败了，败在一个没有读过什么书，没有建立过什么功业的女人手里。热河的雄风早已吹散，清朝从此阴气重重、劣迹斑斑。

当新的一个世纪来到的时候，一大群汉族知识分子向这个政权发出了毁灭性声讨，民族仇恨重新在心底燃起，三百年前抗清志士的事迹重新被发掘和播扬。避暑山庄，在这个时候是一个邪恶的象征，老老实实躲在远处，尽量不要叫人发现。

五

清朝灭亡后，社会震荡，世事忙乱，人们也没有心思去品咂一下这次历史变更的苦涩厚味，匆匆忙忙赶路去了。直到一九二七年六月一日，大学者王国维先生在颐和园投水而死，才让全国的有心人肃然沉思。

王国维先生的死因众说纷纭，我们且不管它，只知道这位汉族文化大师拖着清代的一条辫子，自尽在清代的皇家园林里，遗嘱为“五十之年，只欠一死；经此世变，义无再辱”。他不会不知道明末清初为汉族人是束发还是留辫之争曾发生过惊人的血案，他不会不知道刘宗周、黄宗羲、顾炎武这些大学者的慷慨行迹，他更不会不知道按照世界历史的进程，社会巨变乃属必然，但是他还是死了。我赞成陈寅恪先生的说法，王国维先生并不死于政治斗争、人事纠葛，或仅仅为清廷尽忠，而是死于一种文化：

> 凡一种文化值衰落之时，为此文化所化之人，必感苦痛，其表现此文化之程量愈宏，则其所受之苦痛亦愈甚；迨既达极深之度，殆非出于自杀无以求一己之心安而义尽也。
>
> （《王观堂先生挽词并序》）

王国维先生实在无法把自己为之而死的文化与清廷分割开来。在他的书架里，《古今图书集成》、《康熙字典》、《四库全书》、《红楼梦》、《桃花扇》、《长生殿》、乾嘉学派、纳兰性德等等都把两者连在一起了，于是对他来说，衣冠举止、生态心态，也莫不两相混同。我们记得，在康熙手下，汉族高层知识分子经过剧烈的心理挣扎已开始与朝廷产生某种文化认同，没有想到的是，当康熙的政治事业和军事事业已经破败之后，文化认同竟还未消散。为此，宏才博学的王国维先生要以生命来祭奠它。他没有从心理挣扎中找到希望，死得可惜又死得必然。知识分子总是不同寻常，他们总要在政治、军事的折腾之后表现出长久的文化韧性。文化变成了他们的生命，只有靠生命来拥抱文化了，别无他途；明末以后是这样，清末以后也是这样。但清末又是整个中国封建制度的末尾，因此王国维先生祭奠的该是整个中国传统文化。清代只是他的落脚点。

王国维先生到颐和园这也还是第一次，是从一个同事处借了五元钱才去的。颐和园门票六角，死后口袋中尚余四元四角，他去不了承德，也推不开山庄紧闭的大门。

今天，我面对着避暑山庄的清澈湖水，却不能不想起王国维先生的面容和身影。我轻轻地叹息一声，一个风云数百年的朝代，总是以一群强者英武的雄姿开头，而打下最后一个句点的，却常常是一些文质彬彬的凄怨灵魂。

流放者的土地

一

东北终究是东北，现在已是盛夏的尾梢，江南的西瓜早就收藤了，而这里似乎还刚刚开旺，大路边高高低低地延绵着一堵用西瓜砌成的墙，瓜农们还在从绿油油的瓜地里一个个捧出来往上面堆。停车一问价钱，大吃一惊，才八分钱一斤。买了一大堆搬到车上，先切开一个在路边啃起来。一口下去又是一惊，竟是我平生很少领略过的清爽和甘甜！以往在江南西瓜下市季节，总有一批“北方瓜”来收场，那些瓜吃起来又粗又淡，很为江南人所鄙视，我还曾为此可怜过北方的朋友。北方的朋友辩解说，那是由于要长途运输，老早摘下一些根本没熟的瓜在车皮和仓库里慢慢蹲熟的，代表不了北方瓜。今天我才真正信了，不禁边吃西瓜边抬头打量起眼前的土地。这里的天蓝得特别深，因此把白云衬托得银亮而富有立体感。蓝天白云下面全是植物，有庄稼，也有自生自灭的花草。与大西北相比，这里一点也不荒瘠，但与江南相比，这里似乎又缺少了那些温馨而精致的曲曲弯弯，透着点儿苍凉和浩茫。

这片土地，竟然会蕴藏着这么多的甘甜吗？

我提这个问题的时候心头不禁一颤，因为我正站在从牡丹江到镜泊湖去的半道上，脚下是黑龙江省宁安县，清代被称之为“宁古塔”的所在。只要对清史稍有涉猎的读者都能理解我的心情，在漫长的数百年间，不知有多少所谓“犯人”的判决书上写着“流放宁古塔”！

我是在很多年前读鲁迅论及清代文字狱的文章时首次看到这个地名的，因为它与狞厉的政治迫害和惨烈的人生遭遇连在一起，使我忍不住抬起头来遥想它的地理形貌。后来我本人不知为什么对文字狱的史料也越来越重视起来，因而这个地名便成了我阅读中的常见词汇。近年来喜欢读一些地域文化的著作，在拜读谢国桢先生写于半个世纪前的《清初东北流人考》和李兴盛先生两年前出版的《东北流人史》[①]时更是反复与它打交道了。今天，我居然真的踏到了这块著名的土地上面，而它首先给我的居然是甘甜！

有那么多的朝廷大案以它作为句点，因此“宁古塔”三个再平静不过的字成了全国官员和文士心底最不吉利的符咒。任何人都有可能一夜之间与这里产生终身性的连结，而到了这里，财产、功名、荣誉、学识，乃至整个身家性命都会堕入漆黑的深渊，几乎不大可能再泅得出来。金銮殿离这里很远又很近，因此这三个字常常悄悄地潜入高枕锦衾间的恶梦，把那么多的人吓出一身身冷汗。清代统治者特别喜欢流放江南人，因此这块土地与我的出生地和谋生地也有着很深的缘分。几百年前的江浙口音和现在一定会有不少差别了吧，但云还是这样的云，天还是这样的天。

---

① 这些论著也为本文提供了很多史料和线索，谨此感谢。

地可不是这样的地。有一本叫做《研堂见闻杂记》的书上写道，当时的宁古塔，几乎不是人间的世界。流放者去了，往往半道上被虎狼恶兽吃掉，甚至被饿昏了的当地人分而食之，能活下来的不多。当时另有一个著名的流放地叫尚阳堡，也是一个让人毛骨悚然的地名，但与宁古塔一比，尚阳堡还有房子可住，还能活得下来，简直好到天上去了。也许有人会想，有塔的地方总该有点文明的遗留吧？这就搞错了。宁古塔没有塔，这三个字完全是满语的音译，意为“六个”（“宁古”为“六”，“塔”为“个”），据说很早的时候曾有兄弟六人在这里住过，而这六个人可能还与后来的清室攀得上远亲。

今天我的出发地和目的地都很漂亮，想想吧，牡丹江、镜泊湖，连名字也已经美不胜收了，但我此行的主要目的却是这半道上的流放地。由它，又联想到东北其他几个著名的流放地如今天的沈阳（当时称盛京）、辽宁开原县（即当时的尚阳堡）以及齐齐哈尔（当时称卜魁）等处，我，又想来触摸中国历史身上某些让人不大舒服的部位了。

二

中国古代列朝对犯人的惩罚，条例繁杂，但粗粗说来无外乎打、杀、流放三种。打是轻刑，杀是极刑，流放不轻不重嵌在中间。

打的名堂就很多，打的工具（如笞、杖之类）、方式和数量都不一样。再道貌岸然的高官，再斯文儒雅的学者，从小受足了“非礼勿视”的教育，举手投足蕴藉有度，刚才站到殿阙中央来讲话时还细声慢气地努力调动一连串深奥典故用以替代一切世俗词汇呢，突然不知是哪句话讲错了，立即被一群宫廷侍卫按倒在地，在众目睽睽之下被扒下裤子，一五一十打将起来。苍白的肌肉，殷红的鲜血，不敢大声发出的哀号，乱作一团的白发，强烈地提醒着端立在一旁的文武官员：你们说到底只是一种生理性的存在。用思想来辩驳思想，以理性来面对理性，从来没有那回事儿。一言不合，请亮出尊臀。

杀的花样就更多了。我早年在一本旧书中读到嘉庆皇帝如何杀戮一个在圆明园试图向他动刀的厨师的具体记述，好几天都吃不下饭。后来我终于对其他杀人花样也有所了解了，真希望我们下一代不要再有人去知道这些事情。那一大套款式，绝对只有那些彻底丢弃了人性却又保持着充分想像力的人才能设计得出来。以我看来他们的设计原则是把死这件事情变成一个可供细细品味、慢慢咀嚼的漫长过程，在这一过程中，组成人的一切器官和肌肤全部成了痛苦的由头，因此受刑者只能怨恨自己竟然是个人。我相信中国的宫廷官府所实施的杀人办法，是人类从猿猴变过来之后百十万年间最为残酷的自戕游戏，即便是豺狼虎豹在旁看了也会瞠目结舌。幸好中国的皇帝在这方面都没有神经脆弱的毛病，他们总是玩牌一样掂量着各种死法，有时突然想起“犯人”战功赫赫或学富五车，会特别开恩换一种等级略低一点的死法，在这种情况下，不仅将死的“犯人”会衷心地叩谢皇恩浩荡，而且皇帝自己也觉得仁慈过人、宅心宽厚。皇帝的这个习惯倒是成了中国社会惯例，许多笑容可掬的方案权衡，常常以总体性的残忍为前提。残忍成了一种广泛传染的历史病菌和社会病菌，动不动就采取极端措施，驱逐了人道、公德、信义、宽容、和平。

现在可以回到流放上来了。说过了杀的花样，流放确实成了一种极为仁厚的惩罚，但实际上对承受者来说，杀起来再慢也总不会拖延太久，而流放却是一种长时间的可怖折磨。死了倒也罢了，问题是人还活着，种种不幸都要用心灵去一点点消受，这就比死都烦难了。

就以当时流放东北的江南人和中原人来说，首先让人受不了的事实是流放的株连规模。有时不仅全家流放，而且祸及九族，所有远远近近的亲戚，甚至包括邻里，全都成了流放者，往往是几十人、百余人的队伍，浩浩荡荡。别以为这样热热闹闹一起远行并不差，须知道这些几天前还是锦衣玉食的家庭都已被查抄，家产财物荡然无存，而且到流放地之后做什么也早已定下，如“赏给出力兵丁为奴”、“给披甲人为奴”等等，从孩子开始都已经是奴隶。一路上怕他们逃走，便枷锁千里。我现在随手翻开桌上的史料就见到这样一条记载：明宣德八年，一次有一百七十名犯人流放到东北，但死在路上的就有三分之二，到东北只剩下五十人。由此一路上的自然艰苦和人为虐待便可想见。

好不容易到了流放地，这些奴隶分配给了主人，主人见美貌的女性就随意糟蹋，怕丈夫碍手碍脚先把丈夫杀了；人员那么多用不了，选出一些女的卖给娼寮，选出一些男的去换马。最好的待遇算是在所谓“官庄”里做苦力，当然也完全没有自由。照清代被流放的学者吴兆骞记述，“官庄人皆骨瘦如柴”、“一年到头，不是种田，即是打围、烧石灰、烧炭，并无半刻空闲日子。”

在一本叫《绝域纪略》的书中描写了流放在那里的江南女子汲水的镜头：“舂余即汲，霜雪井溜如山，赤脚单衣悲号于肩担者，不可纪，皆中华富贵家裔也。”在这些可怜的汲水女里面，肯定有着不少崔莺莺、林黛玉这样的人物，昨日的娇贵矜持根本不敢再回想，连那点哀怨悱恻的恋爱悲剧，也全都成了奢侈。

康熙时期的诗人丁介曾写过这样两句诗：

南国佳人多塞北，

中原名士半辽阳。

这里该包含着多少让人不敢细想的真正大悲剧啊。诗句或许会有些夸张，但当时中原各省在东北流放地到了“无省无人”的地步是确实的。据李兴盛先生统计，单单清代东北流人（其概念比流放犯略大），总数在一百五十万以上。普通平民百姓很少会被流放，因而其间“名士”和“佳人”的比例确实不低。

如前所说，这么多人中，很大一部分是株连者，这个冤屈就实在太大了。那些远亲，可能根本没见过当事人，他们的亲族关系要通过老一辈曲曲折折的比划才能勉强理清，现在却一古脑儿都被赶到了这儿。在统治者看来，中国人都不是个人，只是长在家族大树上的叶子，一片叶子看不顺眼了，证明从根上就不好，于是一棵大树连根儿拔掉。我看“株连”这两个字的原始含义就是这样来的。树上叶子那么多，不知哪一片会出事而祸及自己，更不知自己的一举一动什么时候会危害到整棵大树，于是只能战战兢兢，如临深渊，如履薄冰。如此这般，中国怎么还会有独立的个体意识呢？我们以往不也见过很多心底里很明白而行动却极其窝囊的人物吗？有的事，他们如果按心底所想的再坚持一下就坚持出人格和个性来了，但皱眉一想妻儿老小、亲戚朋友，也就立即改变了主意。既然大树上没有一片叶子敢于面对风的吹拂、露的浸润、霜的飘洒，整个树林也便成了没有风声鸟声的死林。朝廷需要的就是这样一片表面上看起来碧绿葱茏的死林，“株连”的目的正在这里。

我常常设想，那些当事人在东北流放地遇见了以前从来没有听见过，这次却因自己而罹难的远房亲戚，该会说什么话，作何等样的表情？而那些远房亲戚又会作什么反应？当事人极其内疚是毫无疑问的，但光内疚够吗？而且内疚什么呢？他或许要解释一下案情，而他真能搞得清自己的案情吗？

能说清自己案情的倒是流放者中那一部分真正的罪犯，即我们现在所说的刑事犯；还有一部分属于宫廷内部勾心斗角的失败者，他们大体也说得清自己流放的原因，其中有些人的经历也很有历史意味，但至少我今天在写这篇文章时对他们兴趣不大。最说不清楚的是那些文人，不小心沾上了"文字狱"、科场案，一夜之间成了犯人，竟然福大命大没被砍头，与一大群株连者一起跌跌撞撞地发配到东北来了，他们大半搞不清自己的案情。

"文字狱"的无法说清已有很多人写过，不想再说什么了。我想，流放东北的文人中真正算得上"犯案"的大概就是在科举考试中作弊的那一拨了。明代以降，特别是清代，壅塞着接二连三的所谓"科场案"，好像鲁迅的祖父后来也挨到了这类案子里边，幸好没有全家流放，否则我们就没有《阿Q正传》好读了。依我看，科场中真作弊的有(鲁迅的祖父像是真的)，但也有很大一部分是被恣意夸大甚至无中生有的。例如一六五七年(顺治十四年)发生过两个著名的科场案，造成被杀、被流放的人很多，我们不妨选其中较严重的一个即所谓"南闱科场案"稍稍多看几眼。

一场考试过去，发榜了，没考上的士子们满腹牢骚，议论很多，被说得最多的是考上举人的安徽青年方章钺可能(!)与主考大人是远亲，即所谓"联宗"吧，理应回避，不回避就有可能作弊。落第考生的这些道听途说被一位官员听到了，就到顺治皇帝那里奏了一本，顺治皇帝闻奏后立即(!)下旨，正副主考一并革职，把那位考生方章钺捉来严审。这位安徽考生的父亲叫方拱乾，也在朝中做着官，上奏说我们家从来没有与主考大人联过宗，联宗之说是误传，因此用不着回避，以前几届也考过，朝廷可以调查。本来这是一件很容易调查清楚的事情，但麻烦的是皇帝已经表了态，而且已把两个主考革职了，如果真的没有联过宗，皇帝的脸往哪儿搁？因此朝廷上下一口咬定，你们两家一定联过宗，不可能不联宗，没理由不联宗，为什么不联宗？不联宗才怪呢！既然肯定联过宗，那就应该在子弟考试时回避，不回避就是犯罪。刑部花了不少时间琢磨这个案子，再琢磨皇帝的心思，最后心一横，拟了个处理方案上报，大致意思无非是，正副主考已经激起圣怒，被皇帝亲自革了职，那就干脆处死算了，把事情做到底别人也就没话说了；至于考生方章钺，朝廷不承认他是举人，作废。

这个处理方案送到了顺治皇帝那里，大家原先以为皇帝也许会比刑部宽大一点，做点姿态，没想到皇帝的回旨极其可怕：正、副主考斩首，没什么客气的；还有他们领导的其他所有试官到哪里去了？一共十八名，全部绞刑，家产没收，他们的妻子女儿一概做奴隶。听说已经死了一个姓卢的考官了？算他幸运，但他的家产也要没收，他的妻子女儿也要去做奴隶。还有，就让那个安徽考生不做举人算啦？不行，把八个考取的考生全都收拾一下，他们的家产也应全部没收，每人狠狠打上四十大板，更重要的是，他们这群考生的父母、兄弟、妻子，要与这几个人一起，全部流放到宁古塔！（参见《清世主实录》卷121）

这就是典型的中国古代判决，处罚之重，到了完全离谱的程度。不就是仅仅一位考生可能与主考官有点沾亲带故的嫌疑吗？他父亲出来已经把嫌疑排除了，但结果还是如此惨烈，而且牵涉的面又如此之大。能代表朝廷来考试江南士子的考官，无论是学问、社会知名度还是朝廷对他们信任的程度本来都应该是不成问题的，但为了其中一个人有那么一丁点儿已经排除了的嫌疑，二十个全部杀掉，一个不留。而且他们和考生的家属全部不明不白地遭殃。这中间，惟一能把嫌疑的来龙去脉说得稍稍清楚一点的只有安徽考生一家——方家，其他被杀、被打、被流放的人可能连基本原因也一无所知。但不管，刑场上早已头颅滚滚、血迹斑斑，去东北的路上也已经浩浩荡荡。这些考生的家属在跋涉长途中想到前些天身首异处的那二十来个大学者，心也就平下来了。比上不足比下有余，何况人家那么著名的人物临死前也没吭声，要我冒出来喊冤干啥？充什么英雄？这是中国人面临最大的冤屈和灾难时的精神卫护逻辑。一切原因和理由都没什么好问的，就算是遇到了一场自然灾害。

且看历来流离失所的灾民，有几个问清过台风形成的原因和山洪暴发的理由？算啦，低头干活吧，能这样不错啦。

三

灾难，对常人来说也就是灾难而已，但对知识分子来说就不一样了。当灾难初临之时，他们比一般人更紧张、更痛苦、更缺少应付的能耐；但是当这一个关口度过之后，他们中部分人的文化意识又会重新苏醒，开始与灾难周旋，在灾难中洗刷掉那些只有走运时才会追慕的虚浮层面，去寻求生命的底蕴。到了这个时候，本来经常会嘲笑知识分子几句的其他流放者不得不收敛了，他们开始对这些喜欢长吁短叹而又手无缚鸡之力的斯文人另眼相看。

流放文人终于熬过生生死死最初撞击的信号是开始吟诗，其中有不少人在去东北的半路上就已获得了这种精神复苏，因为按照当时的交通条件，这好几千里的路要走相当长的时间。清初因科场案被流放的杭州诗人、主考官丁澎在去东北的路上看见许多驿站的墙壁上题有其他不少流放者的诗，一首首读去，不禁笑逐颜开。与他一起流放的家人看他这么高兴，就问："怎么，难道朝廷下诏让你回去了?"丁澎说："没有。我真要感谢皇帝，给我这么好的机会让我在一条才情的长河中畅游，你知道吗，到东北流放的人几乎都是才子，我这一去就不担心没有朋友了。"丁澎说得不错，流放者的队伍实在是把一些平日散落各地的杰出文士集中在一起了，几句诗，就是他们心灵交流的旗幡。

丁澎被流放的时候，他的朋友张缙彦曾来送行，没想到三年以后张缙彦也被流放，戍所很远，要经过丁澎的流放地，两人一见面感慨万千，唏嘘一阵之后，互相能够赠送的东西仍然只有诗。丁澎送张缙彦的诗很能代表流放者的普遍心理：

老去悲长剑，
胡为独远征?
半生戎马换，
片语玉关行!
乱石冲云走，
飞沙撼碛鸣。
万方新雨露，
吹不到边城。

（《送张坦公方伯出塞》）

丁澎早流放几年，因此他有资格叮嘱张缙彦："愁剧须凭酒，时危莫论文。"

"时危莫论文"并不是害怕和躲避，而是希望朋友身处如此危境不要再按照原先文绉绉的思路来考虑问题了。用吴伟业赠吴兆骞的诗句来表述，文人面对流放，产生的总体感受应该是"山非山兮水非水，生非生兮死非死"，原先的价值坐标轰毁了，连一些本来确定无疑的概念也都走向模糊和混乱，这对许多文人来说都不完全是一件坏事。

有一些文人，刚流放时还端着一副孤忠之相，等着哪一天圣主来平反昭雪；有的则希望有人能用儒家的人伦道德标准来重新审理他们身陷的冤屈，哪怕自己死后有一位历史学家来说两句公道话也好。但是，茫茫的塞外荒原否定了他们，浩浩的北国寒风嘲笑着他们，文天祥虽然写过"留取丹心照汗青"，而"汗青"本身又是如此暧昧不清。

到东北的流放者一般都会记得宋、金战争期间，南宋的使臣洪皓和张邵曾被金人流放到黑龙江的事迹。洪皓和张邵算得为大宋朝廷争气的了，在捡野菜充饥、拾马粪取暖的情况下还凛然不屈。一次一位比较友好的女真贵族与洪皓谈话，谈着谈着就争论起来了，女真贵族生气地说："你到现在还这么口硬，你以为我不能杀你吗?"洪皓回答："我是可以死了，但这样你们就会蒙上一个斩杀来使的恶名，恐怕不大好。离这里三十里地有个叫莲花泺的地方，不如我们一起乘舟去游玩，你顺便把我推下水，就说我是自己失足，岂不两全其美?"他的这种从容态度，把女真贵族都给镇住了。后来金兵占领了淮北，宣布说只要是淮北籍的宋朝官员都可回家了，不少被流放的宋朝官员纷纷伪称自己是淮北人而南返，惟独洪皓和张邵明确说自己是江南人，因此一直在东北流放到宋、金和议达成之后才回家。完全出人意料的是，这两人在东北为宋廷受苦受难十余年，回来却立即遭受贬谪，洪皓被秦桧贬离朝廷，张邵也被弹劾为“奉使无成”而远放，两人都很快死在颠沛流离的长途中。倒是金人非常尊敬这两位与他们作对的使者，每次有人来宋廷总是打听他们的消息，甚至对他们的子女也倍加怜惜。这种事例，很使后代到东北的流放者们深思。既然朝廷对自己的使者都是这副模样，那它真值得大家为它守节效忠吗？我们过去头脑中认为至高无上的一切真是那样有价值吗？

顺着这一思想脉络，东北流放地出现了一个奇迹：不少被流放的清朝官员与反清义士结成了好朋友，甚至到了生死莫逆的地步。原先各自效忠的对象，无论是明朝还是清朝都消解了，消解在朔北的风雪中，消解在对人生价值的重新确认里。

“同是冰天谪戍人，敝裘短褐益相亲。”（戴梓）当官衔、身份、家产一一被剥除，剩下的就是生命对生命的直接呼唤。著名的反清义士函可在东北流放时最要好的那些朋友李裀、魏琯、季开生、李呈祥、郝浴、陈掖臣等几乎都是被贬的清朝官吏，以这些人为骨干，函可还成立了一个“冰天诗社”。是不是这些昔日官吏现都卷入到函可的反清思潮中来了呢？并不是。他们相交只是“以节义文章相慕重”，这里所说的“节义”又不具备寻常所指的国家民族意义，而仅仅是个人人品。其实个人人品最是了不得，最不容易被外来的政治规范修饰或扭曲。在这一点上，中国历来对“大节”、“小节”的划分常常是颠倒的。

函可的那些朋友在个人人品上确实都是很值得敬重的，李裀获罪是因为上谏朝廷，指陈当时的一个“逃人法”“立法过重，株连太多”；魏琯因上疏主张一个犯人的“妻子应免流徙”而自己反被流徙；季开生是谏阻皇帝到民间选美女；郝浴是弹劾大汉奸吴三桂骄横不法……总之是一些善良而正直的人。现在他们的发言权被剥夺了，但善良和正直却剥夺不了，跟着他们走南闯北。函可与他们结社是在顺治七年，那个时候，江南很多知识分子还在以“仕清”为耻，而照我们今天某些理论家的分析，他们这些官吏之所以给清廷提意见也是为了清廷的长远利益，不值得半点同情，但函可却完全不理这一套，以毫无障碍的心态发现了他们的善良与正直，然后把他们作为一个个有独立人品的个人来尊重。政敌不见了，民族对立松懈了，只剩下一群赤诚相见的朋友。

有了朋友，再大的灾害也会消去大半。有了朋友，再糟的环境也会风光顿生。出生于上海松江县的学者艺术家杨瑄是一个一生中莫名其妙地多次获罪，直到七十多岁还在东北旷野上挣扎的可怜人，但由于有了朋友，他眼中的流放地也不无美色了。他的一首《谪居柬友》最能表达这种心情：

同是天涯万里身，
相依萍梗即为邻。
闲骑蹇卫频来往，
小擘霜螯忘主宾。
明月满庭凉似水，
绿莎三径软于茵。
生经多难情愈好，
未觉人间古道沦。

“生经多难情愈好”，这实在是灾难给人的最大恩惠。与东北大地上的朋友相比，原先在上海、在北京的朋友都算不上朋友了，靠着亲族关系和同僚关系所挤压出来的笑容和礼数突然显得那样勉强，丰厚的礼品和华赡的语句也变得非常苍白。惟独这儿，什么前后左右的关系也不靠，就靠着赤条条的自己寻找可以生死以之的知己好友，还有什么比这更珍贵的吗？

我敢断言，在漫长的中国封建社会中，最珍贵、最感人的友谊必定产生在朔北和南荒的流放地，产生在那些蓬头垢面的文士们中间。其他那些著名的友谊佳话，外部雕饰太多了。

除了同在流放地的文士间的友谊之外，外人与流放者的友谊也会显出一种特殊的重量，因为在株连之风极盛的时代，与流放者保持友谊是一件十分危险的事，而且地处遥远，在当时的交通和通讯条件下要维系友谊又极为艰难。因此，流放者们在饱受世态炎凉之后完全可以凭借往昔的友谊在流放后的维持程度来重新评验自己原先置身的世界。

元朝时，浙江人骆长官被流放到黑龙江，他的朋友孙子耕竟一路相伴，一直从杭州送到黑龙江。清康熙年间，兵部尚书蔡毓荣获罪流放黑龙江，他的朋友，上海人何世澄不仅一路护送，而且陪着蔡毓荣在黑龙江住了两年多才返回江南。专程到东北探望朋友的人也有不少，例如康熙年间的流放者傅作楫看到老友吴青霞不远千里前来探望，曾用这样的诗句来表达感受：

浓荫落尽有高柯，
昨日流莺在何处？

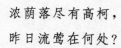

友情，经过再选择而显得单纯和牢固了。

让我特别倾心的是康熙年间顾贞观把自己的老友吴兆骞从东北流放地救出来的那番苦功夫。顾贞观知道老友在边荒时间已经很长，吃足了各种苦头，很想晚年能赎回来让他过几天安定日子。他有决心叩拜座座侯门为赎金集资，但这事不能光靠钱，还要让当朝最有权威的人点头，向皇帝说项才是啊。他好不容易结识了当朝太傅明珠的儿子纳兰容若。纳兰容若是一个人品和文品都不错的人，也乐于帮助朋友，但对顾贞观提出的这个要求却觉得事关重大，难于点头。顾贞观没有办法，只得拿出他为思念吴兆骞而写的词作《金缕曲》两首给纳兰容若看，因为那两首词表达了一种人间至情，应该比什么都能说服纳兰容若。两首词的全文是这样的：

季子平安否？便归来，平生万事，那堪回首。行路悠悠谁慰藉，母老家贫子幼。记不起，从前杯酒。魑魅搏人应见惯，总输他，覆雨翻云手。冰与雪，周旋久。

泪痕莫滴牛衣透，数天涯，依然骨肉，几家能够？比似红颜多命薄，更不如今还有。只绝塞，苦寒难受，廿载包胥承一诺，盼乌头马角终相救。置此札，君怀袖。

我亦飘零久。十年来，深恩负尽，死生师友。宿昔齐名非忝窃，试看杜陵消瘦，曾不减，夜郎潺愁。薄命长辞知己别，问人生，到此凄凉否？千万恨，为君剖。

兄生辛未吾丁丑，共此时，冰霜摧折，早衰蒲柳。词赋从今须少作，留取心魂相守。但愿得，河清人寿。归日急翻行戍稿，把空名料理传身后。言不尽，观顿首。

不知读者诸君读了这两首词作何感想，反正纳兰容若当时刚一读完就声泪俱下，对顾贞观说："给我十年时间吧，我当作自己的事来办，今后你完全不用再叮嘱我了。"顾贞观一听急了："十年？他还有几年好活？五年为期，好吗？"纳兰容若擦着眼泪点了点头。

经过很多人的努力，吴兆骞终于被赎了回来。在欢迎他的宴会上，有一位朋友写诗道："廿年词赋穷边老，万里冰霜匹马还。"是啊，这么多年也只是他一个人回来，但这一万里归来的"匹马"，真把人间友谊的力量负载足了。

还有一个人也是靠朋友，而且是靠同样在流放的朋友的帮助，偷偷逃走的，他就是浙江萧山人李兼汝。这个人本来就最喜欢交朋友，据说不管是谁只要深夜叩门他一定要留宿，客人有什么困难他总是倾囊相助。他被流放后，一直靠一起流放的朋友杨越照顾他，后来他年老体衰，实在想离开那个地方，杨越便想了一个办法，让他躲在一个大瓮里由牛车拉出去，杨越从头至尾操作此事，直至最后到了外面把他从大瓮里拉出来挥泪作别，自己再回来继续流放。这件事的真相，后来在流放者中悄悄传开来了，大家十分钦佩杨越，只要他有什么义举都一起出力相助，以不参与为耻。在这个意义上，灾难确实能净化人，而且能净化好多人。

我常常想，今天东北人的豪爽、好客、重友情、讲义气，一定与流放者们的精神遗留有深刻关联吧。流放，创造了一个味道浓重的精神世界，竟使我们得惠至今。

四

除了享受友情之外，流放者总还要干一点自己想干的事情。基本的劳役是要负担的，但东北的气候使得一年中有很长时间完全无法进行野外作业，而且管理者也有松有紧，有些属于株连而来的对象或随家长而来的儿孙一辈往往有一点儿自由，有的时候、有的地方，甚至整个流放都处于一种放任自流的状态，这就使得流放者总的说来还是有不少空余时间的，需要自己找活干。一般劳动者找活不难，文人则又一次陷入了深思。

我，总要做一点别人不能代替的事情吧？总要有一些高于捡野菜、拾马粪、烧石灰、烧炭的行为吧？尤其当珍贵的友谊把文人们凝聚起来之后，“我”的自问变成了“我们”的集体思索。“我们”，既然凭借着文化人格互相吸引，那就必须进一步寻找到合适的行为方式而成为实践着、行动着的文化群落，只有这样，才能求得灵魂的安定。这是一种回归，大多数流放者没有吴兆骞、李兼汝那样的福气而回归南方，他们只能依靠这种文化意义上的回归，而实际上这样的回归更其重要。吴兆骞南归三年即贫病而死，只活了五十四岁，李兼汝因偷偷摸摸逃回去的，到了南方东躲西藏，也只活了三年。留在东北的流放者们却从文化的路途上回了家，有的竟然很长寿。

比较常见的是教书。例如洪皓曾在晒干的桦树皮上默写出《四书》，教村人子弟；张邵甚至在流放地开讲《大易》，“听者毕集”；函可作为一位佛学家当然就利用一切机会传授佛法。其次是教耕作和商贾，例如杨越就曾花不少力气在流放地传播南方的农耕技术，教当地人用“破木为屋”来代替原来的“掘地为屋”，又让流放者随身带的物品与当地土著交换渔牧产品，培养了初步的市场意识，同时又进行文化教育，几乎是全方位地推动这块土地走向了文明。文化素养更高一点的流放者则把东北这一在以往史册文典中很少涉及的角落作为自己进行文化考察的对象，并把考察结果以多种方式留诸文字，至今仍为一切进行地域文化研究的专家们所宝爱。例如方拱乾所著《宁古塔志》、吴振臣所著《宁古塔纪略》、张缙彦所著《宁古塔山水记》、杨宾所著《柳边纪略》、英和所著《龙沙物产咏》、《龙江纪事》等等便是最好的例子，这些著作（有的是诗集）具有极高的历史学、地理学、风俗学、物产学等多方面的学术价值，是足可永垂史册的。

我们知道，中国古代的学术研究除了李时珍、徐霞客等少数例外，多数习惯于从书本来到书本去，缺少野外考察精神，致使我们的学术传统至今还缺乏实证意识。这些流放者却在艰难困苦之中齐心协力地克服了这种弊端，写下了中国学术史上让人惊喜的一页。他们脚下的这块土地给了他们那么多无告的陌生，那么多绝望的酸辛，但他们却无意怨恨它，反而用温热的手掌抚摸着它，让它感受文明的热量，使它进入文化的史册。

在这整个过程中，有几个代代流放的南方家族给东北所起的文化作用特别大，例如清代浙江的吕留良家族、安徽的方拱乾、方孝标家族以及浙江的杨越、杨宾父子等。近代国学大师章太炎先生在民国初年曾说到因遭文字狱而世代流放东北的吕留良（即吕用晦）家族的贡献：吕氏“后裔多以塾师、医药、商贩为业。土人称之曰老吕家，虽为台隶，求师者必于吕氏，诸犯官遣戍者，必履其庭，故土人不敢轻，其后裔亦未尝自屈也。”“齐齐哈尔人知书，由吕用晦后裔谪戍者开之，至于今用夏变夷之功亦著矣。”说到方家，章太炎说：“初，开原、铁岭以外皆胡地也，无读书识字者。宁古塔人知书，由孝标后裔谪成者开之。”（《太炎文录续编》）当代历史学家认为，太炎先生的这种说法史实可能有所误，评价可能略嫌高，但肯定两个家族在东北地区文教上的启蒙之功是完全不错的。

一个家族世世代代流放下去，对这个家族来说是莫大的悲哀，但他们对东北的开发事业却进行了一代接一代的连续性攻坚。他们是流放者，但他们实际上又成了老资格的“土著”，他们的故乡究竟在何处呢？我提这问题，在同情和惆怅中又包含着对胜利者的敬意，因为在文化意义上，他们是英勇的占领者。

不管怎么说，东北这块在今天的中华版图中已经一点也不显得荒凉和原始的土地，应该记住这两个家族和其他流放者，记住是他们的眼泪和汗水，是他们软软的南方口音，给这块土地播下了文明的种子。不要把视线老是停留在那些边界战役和民族抗争上，停留在那些轰轰烈烈的大事件上，那些战争和事件，其实并没有给这块土地带来多少滋养。

五

我希望上面这些叙述不至于构成这样一种误解，以为流放这件事从微观来说造成了许多痛苦，而从宏观来说却并不太坏。

不。从宏观来说，流放无论如何也是对文明的一种摧残。部分流放者从伤痕累累的苦痛中挣扎出来，手忙脚乱地创造出了那些文明，并不能给流放本身增色添彩。且不说多数流放者不再有什么文化创造，即便是我们在上文中评价最高的那几位，也无法成为我国文化史上的第一流人才。第一流人才可以受尽磨难，却不能受到超越基本生理限度和物质限度的最严重侵害。尽管屈原、司马迁、曹雪芹也受了不少苦，但宁古塔那样的流放方式却永远也出不了《离骚》、《史记》和《红楼梦》。文明可能产生于野蛮，却绝不喜欢野蛮。我们能熬过苦难，却绝不赞美苦难。我们不怕迫害，却绝不肯定迫害。

部分文人之所以能在流放的苦难中显现人性、创建文明，本源于他们内心的高贵。他们的外部身份和遭遇可以一变再变，但内心的高贵却未曾全然消蚀，这正像不管有的人如何追赶潮流或身居高位却总也掩盖不住内心的卑贱一样。

毫无疑问，最让人动心的是苦难中的高贵，最让人看出高贵之所以高贵的，也是这种高贵。凭着这种高贵，人们可以在生死存亡线的边缘上吟诗作赋，可以用自己的一点温暖去化开别人心头的冰雪，继而，可以用屈辱之身去点燃文明的火种。他们为了文化和文明，可以不顾物欲利益，不顾功利得失，义无反顾，一代又一代。从这个意义上说，这些高贵者确实是愚蠢的，而聪明的却是那些卑贱者。但是，这种愚蠢和聪明的划分本来就属于“术”的范畴而无关乎“道”，也可以说本来就属于高贵的领域之外的存在。

由此我又想到，东北这块土地，为什么总是显得坦坦荡荡而不遮遮盖盖？为什么没有多少丰厚的历史却快速地进入到一个开化的状态？至少有一部分，来自流放者心底的那份高贵。

我站在这块古代称为宁古塔的土地上，长时间地举头四顾而终究又低下头来，我向一些远年的灵魂祭奠。为它们大多来自浙江、上海、江苏、安徽那些我很熟悉的地方，更为它们在苦难中的高贵。

苏东坡突围

一

住在这远离闹市的半山居所里，安静是有了，寂寞也来了，有时还来得很凶猛，特别在深更半夜。只得独个儿在屋子里转着圈，拉下窗帘，隔开窗外壁立的悬崖和翻卷的海潮，眼睛时不时地瞟着床边那乳白色的电话。它竟响了，急忙冲过去，是台北《中国时报》社打来的，一位不相识的女记者，说我的《文化苦旅》一书在台湾销售情况很好，因此要作越洋电话采访。问了我许多问题，出身、经历、爱好，无一遗漏。最后一个问题是："在中国文化史上，您最喜欢哪一位文学家？"我回答：苏东坡。她又问："他的作品中，您最喜欢哪几篇？"我回答：在黄州写赤壁的那几篇。记者小姐几乎没有停顿就接道："您是说《念奴娇·赤壁怀古》和前、后《赤壁赋》？"我说对，心里立即为苏东坡高兴，他的作品是中国文人的通用电码，一点就着，哪怕是半山深夜、海峡阻隔、素昧平生。

放下电话，我脑子中立即出现了黄州赤壁。去年夏天刚去过，印象还很深刻。记得去那儿之前，武汉的一些朋友纷纷来劝阻，理由是著名的赤壁之战并不是在那里打的，苏东坡怀古怀错了地方，现在我们再跑去认真凭吊，说得好听一点是将错就错，说得难听一点是错上加错，天那么热，路那么远，何苦呢？

我知道多数历史学家不相信那里是真的打赤壁之战的地方，他们大多说是在嘉鱼县打的。但最近几年，湖北省的几位中青年历史学家持相反意见，认为苏东坡怀古没怀错地方，黄州赤壁正是当时大战的主战场。对于这个论争我一直兴致勃勃地关心着，不管争论前景如何，黄州我还是想去看看的，不是从历史的角度看古战场的遗址，而是从艺术的角度看苏东坡的情怀。大艺术家即便错，也会错出魅力来。好像王尔德说过，在艺术中只有美丑而无所谓对错。

于是我还是去了。

这便是黄州赤壁。赭红色的陡峭石坡直逼着浩荡东去的大江，坡上有险道可以攀登俯瞰，江面有小船可供荡桨仰望，地方不大，但一俯一仰之间就有了气势，有了伟大与渺小的比照，有了视觉空间的变异和倒错，因此也就有了游观和冥思的价值。客观景物只提供一种审美可能，而不同的游人才使这种可能获得不同程度的实现。苏东坡以自己的精神力量给黄州的自然景物注入了意味，而正是这种意味，使无生命的自然形式变成美。因此不妨说，苏东坡不仅是黄州自然美的发现者，而且也是黄州自然美的确定者和构建者。

但是，事情的复杂性在于，自然美也可倒过来对人进行确定和构建。苏东坡成全了黄州，黄州也成全了苏东坡，这实在是一种相辅相成的有趣关系。苏东坡写于黄州的那些杰作，既宣告着黄州进入了一个新的美学等级，也宣告着苏东坡进入了一个新的人生阶段，两方面一起提升，谁也离不开谁。

苏东坡走过的地方很多，其中不少地方远比黄州美丽，为什么一个僻远的黄州能给他如此巨大的惊喜和震动呢？他为什么能把如此深厚的历史意味和人生意味投注给黄州呢？黄州为什么能够成为他一生中最重要的人生驿站呢？这一切，决定于他来黄州的原因和心态。

他从监狱里走来，他带着一个极小的官职，实际上以一个流放罪犯的身份走来，他带着官场和文坛泼给他的浑身脏水走来，他满心侥幸又满心绝望地走来。他被人押着，远离自己的家眷，没有资格选择黄州之外的任何一个地方，朝着这个当时还很荒凉的小镇走来。

他很疲倦，他很狼狈，出汴梁，过河南，渡淮河，进湖北，抵黄州，萧条的黄州没有给他预备任何住所，他只得在一所寺庙中住下。他擦一把脸，喘一口气，四周一片静寂，连一个朋友也没有，他闭上眼睛摇了摇头。他不知道，此时此刻，他完成了一次永载史册的文化突围。黄州，注定要与这位伤痕累累的突围者进行一场继往开来的壮丽对话。

二

人们有时也许会傻想，像苏东坡这样让中国人共享千年的大文豪，应该是他所处的时代的无上骄傲，他周围的人一定会小心地珍惜他，虔诚地仰望他，总不愿意去找他的麻烦吧？事实恰恰相反，越是超时代的文化名人，往往越不能相容于他所处的具体时代。中国世俗社会的机制非常奇特，它一方面愿意播扬和轰传一位文化名人的声誉，利用他、榨取他、引诱他，另一方面从本质上却把他视为异类，迟早会排拒他、糟践他、毁坏他。起哄式的传扬，转化为起哄式的贬损，两种起哄都起源于自卑而狡黠的觊觎心态，两种起哄都与健康的文化氛围南辕北辙。

苏东坡到黄州来之前正陷于一个被文学史家称为“乌台诗狱”的案件中，这个案件的具体内容是特殊的，但集中反映了文化名人在中国社会中的普遍遭遇，很值得说一说。搞清了这个案件中各种人的面目，才能理解苏东坡到黄州来究竟是突破了一个什么样的包围圈。

为了不使读者把注意力耗费在案件的具体内容上，我们不妨先把案件的底交代出来。即便站在朝廷的立场上，这也完全是一个莫须有的可笑事件。一群大大小小的文化官僚硬说苏东坡在很多诗中流露了对政府的不满和不敬，方法是对他诗中的词句和意象作上纲上线的推断和诠释，搞了半天连神宗皇帝也不太相信，在将信将疑之间几乎不得已地判了苏东坡的罪。

在中国古代的皇帝中，宋神宗确实是不算坏的，在他内心并没有迫害苏东坡的任何企图，他深知苏东坡的才华，他的祖母光献太皇太后甚至竭力要保护苏东坡，而他又是尊重祖母的，在这种情况下，苏东坡不是非常安全吗？然而，完全不以神宗皇帝和太皇太后的意志为转移，名震九州、官居太守的苏东坡还是下了大狱。这一股强大而邪恶的力量，就很值得研究了。

这件事说来话长。在专制制度下的统治者也常常会摆出一种重视舆论的姿态，有时甚至还设立专门在各级官员中找岔子、寻毛病的所谓谏官，充当朝廷的耳目和喉舌。乍一看这是一件好事，但实际上弊端甚多。这些具有舆论形象的谏官所说的话，别人无法申辩，也不存在调查机制和仲裁机制，一切都要赖仗于他们的私人品质，但对私人品质的考察机制同样也不具备，因而所谓舆论云云常常成为一种歪曲事实、颠倒是非的社会灾难。这就像现代的报纸如果缺乏足够的职业道德又没有相应的法规制约，信马由缰，随意褒贬，受伤害者无处可以说话，不知情者却误以为白纸黑字是舆论所在，这将会给人们带来多大的混乱！苏东坡早就看出这个问题的严重性，认为这种不受任何制约的所谓舆论和批评，足以改变朝廷决策者的心态，又具有很大的政治杀伤力（"言及乘舆，则天子改容，事关廊庙，则宰相待罪"），必须予以警惕，但神宗皇帝由于自身地位的不同无法意识到这一点。没想到，正是苏东坡自己尝到了他预言过的苦果，而神宗皇帝为了维护自己尊重舆论的形象，当批评苏东坡的言论几乎不约而同地聚合在一起时，他也不能为苏东坡讲什么话了。

那么，批评苏东坡的言论为什么会不约而同地聚合在一起呢？我想最简要的回答是他弟弟苏辙说的那句话："东坡何罪？独以名太高。"他太出色、太响亮，能把四周的笔墨比得十分寒碜，能把同代的文人比得有点狼狈，引起一部分人酸溜溜的嫉恨，然后你一拳我一脚地糟践，几乎是不可避免的。在这场可耻的围攻中，一些品格低劣的文人充当了急先锋。

例如舒亶。这人可称之为"检举揭发专业户"，在揭发苏东坡的同时他还揭发了另一个人，那人正是以前推荐他做官的大恩人。这位大恩人给他写了一封信，拿了女婿的课业请他提意见、辅导，这本是朋友间正常的小事往来，没想到他竟然忘恩负义地给皇帝写了一封莫名其妙的检举揭发信，说我们两人都是官员，我又在舆论领域，他让我辅导他女婿总不大妥当。皇帝看了他的检举揭发，也就降了那个人的职。这简直是东郭先生和狼的故事。就是这么一个让人恶心的人，与何正臣等人相呼应，写文章告诉皇帝，苏东坡到湖州上任后写给皇帝的感谢信中“有讥切时事之言”。苏东坡的这封感谢信皇帝早已看过，没发现问题，舒亶却苦口婆心地一款一款分析给皇帝听，苏东坡正在反您呢，反得可凶呢，而且已经反到了“流俗翕然，争相传诵，忠义之士，无不愤惋”的程度！“愤”是愤苏东坡，“惋”是惋皇上。有多少忠义之士在“愤惋”呢？他说是“无不”，也就是百分之百，无一遗漏。这种数量统计完全无法验证，却能使注重社会名声的神宗皇帝心头一咯噔。

又如李定。这是一个曾因母丧之后不服孝而引起人们唾骂的高官，对苏东坡的攻击最凶。他归纳了苏东坡的许多罪名，但我仔细鉴别后发现，他特别关注的是苏东坡早年的贫寒出身，现今在文化界的地位和社会名声。这些都不能列入犯罪的范畴，但他似乎压抑不住地对这几点表示出最大的愤慨。说苏东坡“起于草野垢贱之余”、“初无学术，滥得时名”、“所为文辞，虽不中理，亦足以鼓动流俗”等等，苏东坡的出身引起他的不服且不去说它，硬说苏东坡不学无术、文辞不好，实在使我惊讶不已了。但他不这么说也就无法断言苏东坡的社会名声和世俗鼓动力是“滥得”。总而言之，李定的攻击在种种表层动机下显然埋藏着一个最深秘的元素：妒忌。无论如何，诋毁苏东坡的学问和文采毕竟是太愚蠢了，这在当时加不了苏东坡的罪，而在以后却成了千年笑柄。但是妒忌一深就会失控，他只会找自己最痛恨的部位来攻击，已顾不得哪怕是装装样子的可信性和合理性了。

又如王圭。这是一个跋扈和虚伪的老人。他凭着资格和地位自认为文章天下第一，实际上他写诗作文绕来绕去都离不开“金玉锦绣”这些字眼，大家暗暗掩口而笑，他还自我感觉良好。现在，一个后起之秀苏东坡名震文坛，他当然要想尽一切办法来对付。有一次他对皇帝说:“苏东坡对皇上确实有二心。”皇帝问:“何以见得?”他举出苏东坡一首写桧树的诗中有“蛰龙”二字为证,皇帝不解,说:“诗人写桧树,和我有什么关系?”他说:“写到了龙还不是写皇帝吗?”皇帝倒是头脑清醒,反驳道:“未必,人家叫诸葛亮还叫卧龙呢!”这个王圭用心如此低下,文章能好到哪儿去呢?更不必说与苏东坡来较量了。几缕白发有时能够冒充师长、掩饰邪恶,却欺骗不了历史。历史最终也没有因为年龄把他的名字排列在苏东坡的前面。

又如李宜之。这又是另一种特例,做着一个芝麻绿豆小官,在安徽灵璧县听说苏东坡以前为当地一个园林写的一篇园记中有劝人不必热衷于做官的词句,竟也写信给皇帝检举揭发,并分析说这种思想会使人们缺少进取心,也会影响取士。看来这位李宜之除了心术不正之外,智力也大成问题,你看他连诬陷的口子都找得不伦不类。但是,在没有理性法庭的情况下,再愚蠢的指控也能成立,因此对散落全国各地的李宜之们构成了一个鼓励。为什么档次这样低下的人也会挤进来围攻苏东坡?当代苏东坡研究者李一冰先生说得很好:“他也来插上一手,无他,一个默默无闻的小官,若能参加一件扳倒名人的大事,足使自己增重。”从某种意义上说,他的这种目的确实也部分地达到了,例如我今天写这篇文章竟然还会写到李宜之这个名字,便完全是因为他参与了对苏东坡的围攻,否则他没有任何理由被哪怕是同一时代的人写在印刷品里。我的一些青年朋友根据他们对当今世俗心理的多方位体察,觉得李宜之这样的人未必是为了留名于历史,而是出于一种可称作“砸窗子”的恶作剧心理。晚上,一群孩子站在一座大楼前指指点点,看谁家的窗子亮就捡一块石子扔过去,谈不上什么目的,只图在几个小朋友中间出点风头而已。我觉得我的青年朋友们把李宜之看得过于现代派,也过于城市化了。李宜之的行为主要出于一种政治投机,听说苏东坡有点麻烦,就把麻烦闹得大一点,反正对内不会负道义责任,对外不会负法律责任,乐得投井下石,撑顺风船。这样的人倒是没有胆量像李定、舒亶和王圭那样首先向一位文化名人发难,说不定前两天还在到处吹嘘在什么地方有幸见过苏东坡,硬把苏东坡说成是自己的朋友甚至老师呢。

又如——我真不想写出这个名字,但再一想又没有讳避的理由,还是写出来吧:沈括。这位在中国古代科技史上占有不小地位的著名科学家也因嫉妒而陷害过苏东坡,用的手法仍然是检举揭发苏东坡的诗中有讥讽政府的倾向。如果他与苏东坡是政敌,那倒也罢了,问题是他们曾是好朋友,他所检举揭发的诗句,正是苏东坡与他分别时手录近作送给他留作纪念。这实在太不是味道了。历史学家们分析,这大概与皇帝在沈括面前说过苏东坡的好话有关,沈括心中产生了一种默默的对比,不想让苏东坡的文化地位高于自己。另一种可能是他深知王安石与苏东坡政见不同,他投注投到了王安石一边。但王安石毕竟也是一个讲究人品的文化大师,重视过沈括,但最终却得出这是一个不可亲近的小人的结论。当然,在人格人品上的不可亲近,并不影响我们对沈括科学成就的肯定。

围攻者还有一些,我想举出这几个也就差不多了,苏东坡突然陷入困境的原因已经可以大致看清,我们也领略了一组有可能超越时空的"文化群小"的典型。他们中的任何一个人要单独搞倒苏东坡都是很难的,但是在社会上没有一种强大的反诽谤、反诬陷机制的情况下,一个人探头探脑的冒险会很容易地招来一堆凑热闹的人,于是七嘴八舌地组合成一种伪舆论,结果连神宗皇帝也对苏东坡疑惑起来,下旨说查查清楚，而去查的正是李定这些人。

苏东坡开始很不在意。有人偷偷告诉他，他的诗被检举揭发了，他先是一怔，后来还潇洒、幽默地说："今后我的诗不愁皇帝看不到了。"但事态的发展却越来越不潇洒，一〇七九年七月二十八日，朝廷派人到湖州的州衙来逮捕苏东坡，苏东坡事先得知风声，立即不知所措。文人终究是文人，他完全不知道自己犯了什么罪，从气势汹汹的样子看，估计会处死，他害怕了，躲在后屋里不敢出来，朋友说躲着不是办法，人家已在前面等着了，要躲也躲不过。正要出来他又犹豫了，出来该穿什么服装呢？已经犯了罪，还能穿官服吗？朋友说，什么罪还不知道，还是穿官服吧。苏东坡终于穿着官服出来了，朝廷派来的差官装模作样地半天不说话，故意要演一个压得人气都透不过来的场面出来。苏东坡越来越慌张，说："我大概把朝廷惹恼了，看来总得死，请允许我回家与家人告别。"差官说："还不至于这样。"便叫两个差人用绳子捆扎了苏东坡，像驱赶鸡犬一样上路了。家人赶来，号啕大哭，湖州城的市民也在路边流泪。

长途押解，犹如一路示众，可惜当时几乎没有什么传播媒介，沿途百姓不认识这就是苏东坡。贫瘠而愚昧的国土上，绳子捆扎着一个世界级的伟大诗人，一步步行进。苏东坡在示众，整个民族在丢人。

全部遭遇还不知道半点起因。苏东坡只怕株连亲朋好友，在途经太湖和长江时都想投水自杀，由于看守严密而未成。当然也很可能成，那么，江湖淹没的将是一大截特别明丽的中华文明。文明的脆弱性就在这里，一步之差就会全盘改易，而把文明的代表者逼到这一步之差境地的则是一群小人。一群小人能做成如此大事，只能归功于中国的独特国情。

小人牵着大师，大师牵着历史。小人顺手把绳索重重一抖，于是大师和历史全都成了罪孽的化身。一部中国文化史，有很长时间一直把诸多文化大师捆押在被告席上，而法官和原告，大多是一群群挤眉弄眼的小人。

究竟是什么罪？审起来看！

怎么审？打！

一位官员曾关在同一监狱里，与苏东坡的牢房只有一墙之隔，他写诗道：

> 遥怜北户吴兴守，
> 诟辱通宵不忍闻。

通宵侮辱、摧残到了其他犯人也听不下去的地步，而侮辱、摧残的对象竟然就是苏东坡！

请允许我在这里把笔停一下。我相信一切文化良知都会在这里颤栗。中国几千年间有几个像苏东坡那样可爱、高贵而有魅力的人呢？但可爱、高贵、魅力之类往往既构不成社会号召力也构不成自我卫护力，真正厉害的是邪恶、低贱、粗暴，它们几乎战无不胜、攻无不克、所向无敌。现在，苏东坡被它们抓在手里搓捏着，越是可爱、高贵、有魅力，搓捏得越起劲。温和柔雅如林间清风、深谷白云的大文豪面对这彻底陌生的语言系统和行为系统，不可能作任何像样的辩驳，他一定变得非常笨拙，无法调动起码的言词，无法完成简单的逻辑。他在牢房里的应对，绝对比不过一个普通的盗贼。因此审问者们愤怒了也高兴了，原来这么个大名人竟是草包一个，你平日的滔滔文辞被狗吃掉了？看你这副熊样还能写诗作词？纯粹是抄人家的吧！接着就是轮番扑打，诗人用纯银般的嗓子哀号着，哀号到嘶哑。这本是一个只需要哀号的地方，你写那么美丽的诗就已荒唐透顶了，还不该打。打，打得你淡妆浓抹，打得你乘风归去，打得你密州出猎！

开始，苏东坡还试图拿点儿正常逻辑顶几句嘴，审问者咬定他的诗里有讥讽朝廷的意思，他说："我不敢有此心，不知什么人有此心，造出这种意思来。"一切诬陷者都喜欢把自己打扮成某种"险恶用心"的发现者，苏东坡指出，他们不是发现者而是制造者，应该由他们自己来承担。但是，苏东坡的这一思路招来了更凶猛的侮辱和折磨，当诬陷者和办案人完全合成一体、串成一气时，只能这样。终于，苏东坡经受不住了，经受不住日复一日、通宵达旦的连续逼供，他想闭闭眼、喘口气，惟一的办法就是承认。于是，他以前的诗中有"道旁苦李"，是在说自己不被朝廷重视；诗中有"小人"字样，是讥刺当朝大人；特别是苏东坡在杭州做太守时兴冲冲去看钱塘潮，回来写了咏弄潮儿的诗"吴儿生长狎涛渊"，据说竟是在影射皇帝兴修水利！这种大胆联想，连苏东坡这位浪漫诗人都觉得实在不容易跳跃过去，因此在承认时还不容易"一步到位"，审问者有本事耗时间一点点逼过去。案卷记录上经常出现的句子是："逐次隐讳，不说情实，再勘方招。"苏东坡全招了，同时他也就知道必死无疑了。试想，把皇帝说成"吴儿"，把兴修水利说成玩水，而且在看钱塘潮时竟一心想着写反诗，那还能活？

他一心想着死。他觉得连累了家人，对不起老妻，又特别想念弟弟。他请一位善良的狱卒带了两首诗给苏辙，其中有这样的句子：

“是处青山可埋骨，他时夜雨独伤神，与君世世为兄弟，又结来生未了因。”埋骨的地点，他希望是杭州西湖。

不是别的，是诗句，把他推上了死路。我不知道那些天他在铁窗里是否抱怨甚至痛恨诗文。没想到，就在这时，隐隐约约地，一种散落四处的文化良知开始汇集起来了，他的诗文竟然在这危难时分产生了正面回应，他的读者们慢慢抬起了头，要说几句对得起自己内心的话了。很多人不敢说，但毕竟还有勇敢者；他的朋友大多躲避了，但毕竟还有侠义人。

杭州的父老百姓想起他在当地做官时的种种美好行迹，在他入狱后公开做了解厄道场，求告神明保佑他；狱卒梁成知道他是大文豪，在审问人员离开时尽力照顾生活，连每天晚上的洗脚热水都准备了；他在朝中的朋友范镇、张方平不怕受到牵连，写信给皇帝，说他在文学上“实天下之奇才”，希望宽大；他的政敌王安石的弟弟王安礼也仗义执言，对皇帝说：“自古大度之君，不以言语罪人”，如果严厉处罚了苏东坡，“恐后世谓陛下不能容才”。最有趣的是那位我们上文提到过的太皇太后，她病得奄奄一息，神宗皇帝想大赦犯人来为她求寿，她竟说：“用不着去赦免天下的凶犯，放了苏东坡一人就够了！”最直截了当的是当朝左相吴充，有次他与皇帝谈起曹操，皇帝对曹操评价不高，吴充立即接口说：“曹操猜忌心那么重还容得下祢衡，陛下怎么容不下一个苏东坡呢？”

对这些人，不管是狱卒还是太后，我们都要深深感谢。他们有意无意地在验证着文化的广泛感召力，就连那盆洗脚水也充满了文化的热度。

据王巩《甲申杂记》记载，那个带头诬陷、调查、审问苏东坡的李定，整日得意洋洋，有一天与满朝官员一起在崇政殿的殿门外等候早朝时向大家叙述审问苏东坡的情况，他说："苏东坡真是奇才，一二十年前的诗文，审问起来都记得清清楚楚！"他以为，对这么一个轰传朝野的著名大案，一定会有不少官员感兴趣。但奇怪的是，他说了这番引逗别人提问的话之后，没有一个人搭腔，没有一个人提问，崇政殿外一片静默。他有点慌神，故作感慨状，叹息几声，回应他的仍是一片静默。这静默算不得抗争，也算不得舆论，但着实透着点儿高贵。相比之下，历来许多诬陷者周围常常会出现一些不负责任的热闹，以嘈杂助长了诬陷。

就在这种情势下，皇帝释放了苏东坡，贬谪黄州。黄州对苏东坡的重要性，不言而喻。

三

我非常喜欢读林语堂先生的《苏东坡传》，前后读过多少遍都记不清了，但每次总觉得语堂先生把苏东坡在黄州的境遇和心态写得太理想了。语堂先生酷爱苏东坡的黄州诗文，因此由诗文渲染开去，由酷爱渲染开去，渲染得通体风雅、圣洁。其实，就我所知，苏东坡在黄州还是很凄苦的，优美的诗文，是对凄苦的挣扎和超越。

苏东坡在黄州的生活状态，已被他自己写给李端叔的一封信描述得非常清楚。

信中说：

> 得罪以来，深自闭塞，扁舟草履，放浪山水间，与樵渔杂处，往往为醉人所推骂，辄自喜渐不为人识。平生亲友，无

一字见及，有书与之亦不答，自幸庶几免矣。

我初读这段话时十分震动，因为谁都知道苏东坡这个乐呵呵的大名人是有很多很多朋友的。日复一日的应酬，连篇累牍的唱和，几乎成了他生活的基本内容，他一半是为朋友们活着。但是，一旦出事，朋友们不仅不来信，而且也不回信了。他们都知道苏东坡是被冤屈的，现在事情大体已经过去，却仍然不愿意写一两句哪怕是问候起居的安慰话。苏东坡那一封封用美妙绝伦、光照中国书法史的笔墨写成的信，千辛万苦地从黄州带出去，却换不回一丁点儿友谊的信息。我相信这些朋友都不是坏人，但正因为不是坏人，更让我深长地叹息。

总而言之，原来的世界已在身边轰然消失，于是一代名人也就混迹于樵夫渔民间不被人认识。原本这很可能换来轻松，但他又觉得远处仍有无数双眼睛注视着自己，他暂时还感觉不到这个世界对自己的诗文仍有极温暖的回应，只能在寂寞中惶恐。即使这封无关宏旨的信，他也特别注明不要给别人看。日常生活，在家人接来之前，大多是白天睡觉，晚上一个人出去蹓跶，见到淡淡的土酒也喝一杯，但绝不喝多，怕醉后失言。

他真的害怕了吗？也是也不是。他怕的是麻烦，而绝不怕大义凛然地为道义、为百姓，甚至为朝廷、为皇帝捐躯。他经过"乌台诗案"已经明白，一个人蒙受了诬陷即便是死也死不出一个道理来，你找不到慷慨陈词的目标，你抓不住从容赴死的理由。你想做个义无反顾的英雄，不知怎么一来把你打扮成了小丑；你想做个坚贞不屈的烈士，闹来闹去却成了一个深深忏悔的俘虏。无法洗刷，无处辩解，更不知如何来提出自己的抗议，发表自己的宣言。这确实很接近有的学者提出的“酱缸文化”，一旦跳在里边，怎么也抹不干净。苏东坡怕的是这个，没有哪个高品位的文化人会不怕。但他的内心仍有无畏的一面，或者说灾难使他更无畏了。他给李常的信中说：

吾侪虽老且穷，而道理贯心肝，忠义填骨髓，直须谈笑于死生之际。……虽怀坎凛于时，遇事有可尊主泽民者，便忘躯为之，祸福得丧，付与造物。

这么真诚的勇敢，这么洒脱的情怀，出自天真了大半辈子的苏东坡笔下，是完全可以相信的，但是，让他在何处做这篇人生道义的大文章呢？没有地方、没有机会、没有观看者也没有裁决者，只有一个把是非曲直忠奸善恶染成一色的大酱缸。于是，苏东坡刚刚写了上面这几句，支颐一想，又立即加一句：此信看后烧毁。

这是一种真正精神上的孤独无告，对于一个文化人，没有比这更痛苦的了。那阕著名的“卜算子”，用极美的意境道尽了这种精神遭遇：

缺月挂疏桐，漏断人初静。谁见幽人独往来？缥缈孤鸿影。

惊起却回头，有恨无人省。捡尽寒枝不肯栖，寂寞沙洲冷。

正是这种难言的孤独，使他彻底洗去了人生的喧闹，去寻找无言的山水，去寻找远逝的古人。在无法对话的地方寻找对话，于是对话也一定会变得异乎寻常。像苏东坡这样的灵魂竟然寂静无声，那么，迟早总会突然冒出一种宏大的奇迹，让这个世界大吃一惊。

然而，现在他即便写诗作文，也不会追求社会轰动了。他在寂寞中反省过去，觉得自己以前最大的毛病是才华外露，缺少自知之明。他想，一段树木靠着瘿瘤取悦于人，一块石头靠着晕纹取悦于人，其实能拿来取悦于人的地方恰恰正是它们的毛病所在，它们的正当用途绝不在这里。我苏东坡三十余年来想博得别人叫好的地方也大多是我的弱项所在，例如从小为考科举学写政论、策论，后来更是津津乐道于考论历史是非、直言陈谏曲直，做了官以为自己真的很懂得这一套了，洋洋自得地炫耀，其实我又何尝懂呢？直到一下子面临死亡才知道，我是在炫耀无知。三十多年来最大的弊病就在这里。现在终于明白了，到黄州的我是觉悟了的我，与以前的苏东坡是两个人。（参见《致李端叔书》）

苏东坡的这种自省，不是一种走向乖巧的心理调整，而是一种极其诚恳的自我剖析，目的是想找回一个真正的自己。他在无情地剥除自己身上每一点异己的成分，哪怕这些成分曾为他带来过官职、荣誉和名声。他渐渐回归于清纯和空灵。在这一过程中，佛教帮了他大忙，使他习惯于淡泊和静定。艰苦的物质生活，又使他不得不亲自垦荒种地，体味着自然和生命的原始意味。

这一切，使苏东坡经历了一次整体意义上的脱胎换骨，也使他的艺术才情获得了一次蒸馏和升华，他，真正地成熟了——与古往今来许多大家一样，成熟于一场灾难之后，成熟于灭寂后的再生，成熟于穷乡僻壤，成熟于几乎没有人在他身边的时刻。幸好，他还不年老，他在黄州期间，是四十四岁至四十八岁，对一个男人来说，正是最重要的年月，今后还大有可为。中国历史上，许多人觉悟在过于苍老的暮年，刚要享用成熟所带来的恩惠，脚步却已踉跄蹒跚；与他们相比，苏东坡真是好命。

成熟是一种明亮而不刺眼的光辉，一种圆润而不腻耳的音响，一种不再需要对别人察言观色的从容，一种终于停止向周围申诉求告的大气，一种不理会哄闹的微笑，一种洗刷了偏激的淡漠，一种无须声张的厚实，一种并不陡峭的高度。勃郁的豪情发过了酵，尖利的山风收住了劲，湍急的溪流汇成了湖，结果——

引导千古杰作的前奏已经鸣响，一道神秘的天光射向黄州，《念奴娇·赤壁怀古》和前、后《赤壁赋》马上就要产生。

千年庭院

一

二十七年前一个深秋的傍晚，我一个人在岳麓山上闲逛。岳麓山地处湘江西岸，对岸就是湖南省的省会长沙。这是我第一次来到这儿，乘着当时称之为“革命大串连”的浪潮，不由自主地被撒落在这个远离家乡的陌生山梁上。

我们这一代，很少有人在“文化大革命”初期完全没有被“大串连”的浪潮裹卷过，但又很少有人能讲得清这是怎么回事。先是全国停课，这么大的国土上几乎没有一间教室能够例外，学生不上课又不准脱离学校，于是就在报纸、电台的指引下斗来斗去，大家比赛着谁最厉害、谁最出格。现在的青年天天在设计着自己的“潇洒”，他们所谓的“潇洒”大体上似乎是指离开世俗规范的一种生命自由度；二十七年前的青年不大用“潇洒”一词，却也在某种气氛的诱导下追慕着一种踩踏规范的生命状态。敢于在稍一犹豫之后咬着牙撕碎书包里所有的课本吗？敢于嗫嚅片刻然后学着别人吐出一句平日听着都会皱眉的粗话吗？敢于把自己的手按到自己最害怕的老师头上去吗？

敢于把图书馆里那些读起来半懂不懂的书统统搬到操场上放一把火烧掉吗？敢于拿着一根木棍试试贝多芬、肖邦的塑像是空心还是实心的吗？说实话，这些逆反性的冥想，恐怕任何一个国家任何一个时代的学生都有可能在心中一闪而过，暗自调皮地一笑，谁也没有想到会有实现的可能，但突然，竟有一个国家的一个时期，这一切全被允许了，于是终于有一批学生脱颖而出，冲破文明的制约，挖掘出自己心底某种已经留存不多的顽童泼劲，快速地培植、张扬，装扮成金刚怒目。硬说他们是具有政治含义的“造反派”其实是很过分的，昨天还和我们坐在一个课堂里，知道什么上层政治斗争呢？无非是叨念几句报纸上的社论，再加上一点道听途说的政治传闻罢了，乍一看吆五喝六，实际上根本不存在任何政治上的主动性。反过来，处于他们对立面的“保守派”学生也未必有太多的政治意识，多数只是在一场突如其来的颠荡中不太愿意或不太习惯改变自己原先的生命状态而已。我当时也忝列“保守派”行列，回想起来，一方面是对“造反派”同学的种种强硬行动看着不顺眼，一方面又暗暗觉得自己太窝囊，优柔寡断，赶不上潮流，后来发觉已被“造反派”同学所鄙视，无以自救，也就心灰意懒了。这一切当时看来很像一回事，其实都是胡闹，几年以后老同学相见，只知一片亲热，连彼此原来是什么派也都忘了。

记得胡闹也就是两三个月吧，一所学校的世面是有限的，年轻人追求新奇，差不多的事情激动过一阵也就无聊了。突然传来消息，全国的交通除了飞机之外都向青年学生开放，完全免费，随你到哪儿去都可以，到了哪儿都不愁吃住，也不要钱，名之为“革命大串连”。我至今无法猜测作出这一浪漫决定的领导人当时是怎么想的，好像是为“造反派”同学提供便利，好让他们到全国各地去煽风点火；好像又在为“保守派”同学提供机会，迫使他们到外面去感受革命风气，转变立场。总之，不管是什么派，只要是学生，也包括一时没有被打倒的青年教师，大学的、中学的，乃至小学高年级的，城市的、乡村的，都可以，一齐涌向交通线，哪一站上，哪一站下，悉听尊便。至于出去之后是否还惦念着革命，那更是毫无约束，全凭自觉了。这样的美事，谁会不去呢？

接下来出现的情景是完全可以想像的。学生们像蚂蚁一样攀上了一切还能开动的列车，连货车上都爬得密密麻麻，全国的铁路运输立即瘫痪。列车还能开动，但开了一会儿就会长时间地停下，往往一停七八个小时。车内的景象更是惊人，我不相信自从火车发明以来会有哪个地方曾经如此密集地装载过活生生的人。没有人坐着，也没有人站着，好像是站，但至多只有一只脚能够着地，大伙拥塞成密不透风的一团，行李架上、座位底下，则横塞着几个被特殊照顾的病人。当然不再有过道、厕所，原先的厕所里也挤满了人。谁要大小便只能眼巴巴地等待半路停车，一停车就在大家的帮助下跳车窗而下。但是，很难说列车不会正巧在这一刻突然开动，因此跳窗而下的学生总是把自己小小的行李包托付给挤在窗口的几位，说如果不巧突然开车了，请把行李包扔下来。这样的事常常发生在夜晚，列车启动在前不着村、后不着店的荒山野岭之间，几个行李包扔下去，车下的学生边追边呼叫，隆隆的车轮终于把他们抛下了。多少年来我一直在想这件事：他们最终找到了下一站吗？那可是山险林密、虎狼出没的地方啊。

扔下车去的行李包与车上学生抱着的行李包一样，小小的、轻轻的，两件换洗衣服，一条毛巾包着三四个馒头，几块酱菜，大同小异。

不带书、不带笔，也不带钱，一身轻松又一身虚浮，如离枝的叶，离花的瓣，在狂风中漫天转悠，极端洒脱又极端低贱，低贱到谁也认不出谁，低贱到在一平方米中拥塞着多少个都无法估算。

只知道他们是学生，但他们没有书包、没有老师、没有课堂，而且将一直没有下去，不久他们又将被驱赶到上山下乡的列车上，一去十几年，依然是没有书包、没有老师、没有课堂，依然是被称之为学生。因为是学生，因为他们的目光曾与一个个汉字相遇，因为他们的手指曾翻动过不多的纸页，他们就要远离家乡，去冲洗有关汉字与纸页的记忆。“大串连”的列车，开出了这一旅程的第一站。

历史上一切否定文化的举动，总是要靠文化自己来打头阵，但是按照毫无疑问的逻辑，很快就要否定到打头阵的人自身。列车上的学生们横七竖八地睡着了，睡梦中还残留着轰逐一切的激动，他们不知道，古往今来任何一个社会，都不可能长时间地容纳一群不做建树的否定者，一群不再读书的读书人，一群不要老师的伪学生。当他们终于醒来的时候，一切都已太晚了，列车开出去太远了，最终被轰逐的竟然就是这帮横七竖八地睡着的年轻人。

也许我算是醒得较早的一个，醒在列车的一次猛烈晃荡中，醒在鼾声和汗臭的包围里，一种莫名的恐惧击中了我，我从哪里来？我到哪里去？我是谁？心底一阵寒噤。我想下车，但列车此刻不会停站，这里也没有任何人来注意某个个人的呼喊。只好听天由命，随着大流，按照当时的例行公事，该停的地方停，该下的地方下，呼隆呼隆跟着走，整个儿迷迷瞪瞪。

长沙和岳麓山，是当时最该停、最该下的地方，到处都摩肩接踵、熙熙攘攘，连岳麓山的山道上都是这样。那个著名的爱晚亭照理是应该有些情致的，但此刻也已被漆得浑身通红，淹没在一片喧嚣中。我举头回顾，秋色已深，枫叶灿然，很想独个儿在什么地方静一静、喘口气，就默默离开人群，找到了一条偏僻的小路。

野山毕竟不是广场通衢，要寻找冷清并不困难，几个弯一转，几丛树一遮，前前后后只剩下了我一个人。这条路很狭，好些地方几乎已被树丛拦断，拨开枝桠才能通过。渐渐出现了许多坟堆，那年月没人扫坟，荒草迷离。几个最大的坟好像还与辛亥革命有关，坟前有一些石碑，苍苔斑剥。一阵秋风，几声暮鸦，我知道时间不早，该回去了。但回到哪儿去呢？哪儿都不是我的地方。不如壮壮胆，还是在小路上毫无目的地走下去，看它把我带到什么地方。

暮色压顶了，山渐渐显得神秘起来。我边走边想，这座山也够劳累的，那一头，爱晚亭边上，负载着现实的激情；这一头，层层墓穴间，埋藏着世纪初的强暴。我想清静一点，从那边躲到这边，没想到这边仍然让我在沉寂中去听那昨日的咆哮。听说它是南岳之足，地脉所系，看来中国的地脉注定要衍发出没完没了的动荡。在浓重暮霭中越来越清静的岳麓山，你究竟是一个什么样的所在？你的绿坡赭岩下，竟会蕴藏着那么多的强悍和狂躁？

正这么想着，眼前出现了一堵长长的旧墙，围住了很多灰褐色的老式房舍。这是什么地方？沿墙走了几步，就看到一个边门，轻轻一推，竟能推开，我迟疑了一下就一步跨了进去。我走得有点害怕，假装着咳嗽几声，直着嗓子叫“有人吗”，都没有任何回应。但走着走着，我似乎被一种神奇的力量控制了，脚步慢了下来，不再害怕。这儿没有任何装点，为什么会给我一种莫名的庄严？这儿我没有来过，为什么处处透露出似曾相识的亲切？这些房子和庭院可以有各种用途，但它的原本用途是什么呢？再大家族的用房也用不着如此密密层层，每一个层次又排列得那么雅致和安详，这儿应该聚集过很多人，但绝对不可能是官衙或兵营。

这个庭院，不知怎么撞到了我心灵深处连自己也不大知道的某个层面。这个层面好像并不是在我的有生之年培植起来的，而要早得多。如果真有前世，那我一定来过这里，住过很久，我隐隐约约找到自己了。自己是什么？是一个神秘的庭院。哪一天你不小心一脚踏入后再也不愿意出来了，觉得比你出生的房屋和现在的住舍还要亲切，那就是你自己。

我在这个庭院里独个儿磨磨蹭蹭舍不得离开，最后终于摸到一块石碑，凭着最后一点微弱的天光我一眼就认出了那四个大字：岳麓书院。

二

没有任何资料，没有任何讲解，给了我如此神秘的亲切感的岳麓书院究竟是一个什么样的所在，我当时并不很清楚。凭直感，这是一个年代久远的文化教育机构，与眼下轰轰烈烈的“文化大革命”正好大异其趣，但它居然身处洪流近旁而安然无恙，全部原因只在于，有一位领袖人物青年时代曾在它的一间屋子里住过一些时日。岳麓书院很识时务，并不抓着这个由头把自己打扮成革命的发祥地，朝自己苍老的脸颊上涂紫抹红，而是一声不响地安坐在山坳里。依然青砖石地、粉墙玄瓦，一派素净。苟全性命于乱世，不求闻达于诸侯，谁愿意来看看也无妨，开一个边门等待着，于是就有了我与它的不期而遇，默然对晤。

据说世间某些气功大师的人生履历表上，有一些时间是空缺的，人们猜想那一定是他们在某种特殊的遭遇中突然悟道得气的机缘所在。我相信这种机缘。现在常有记者来询问我在治学的长途中有没有几位关键的点拨者，我左思右想，常常无言以对。我无法使他们相信，一个匆忙踏入的庭院，也不太清楚究竟是什么用的，也没有遇见一个人，也没有说过一句话，竟然是我人生中的一个“关键”。完全记不清在里边逗留了多久，只知道离开时我一脸安详，就像是那青砖石地、粉墙玄瓦。记得下山后我很快回了上海，以后的经历依然坎坷曲折，却总是尽力与书籍相伴。书籍中偶尔看到有关岳麓书院的史料，总会睁大眼睛多读几遍。近年来，自己又多次去长沙讲学，一再地重访书院，终于我可以说，我开始了解了我的庭院，我似乎抓住了二十七年前的那个傍晚，那种感觉。

岳麓书院存在于世已经足足一千年了，可以毫不夸张地说，这是世界上最老的高等学府。中国的事，说“老”人家相信，说“高等学府”之类常常要打上一个问号，但这个问号面对岳麓书院完全可以撤销。一千多年来，岳麓书院的教师中集中了大量海内最高水平的教育家，其中包括可称世界一流的文化哲学大师朱熹、张栻、王阳明，而它培养出来的学生更可列出一份让人叹为观止的名单，千年太长，光从清代而论，我们便可随手举出哲学大师王夫之、理财大师陶澍、启蒙思想家魏源、军事家左宗棠、学者政治家曾国藩、外交家郭嵩焘、维新运动领袖唐才常、沈荩，以及教育家杨昌济等等。岳麓书院的正门口骄傲地挂着一副对联：“惟楚有才，于斯为盛”，把它描绘成天下英才最辉煌的荟萃之地，口气甚大，但低头一想，也不能不服气。你看整整一个清代，那些需要费脑子的事情，不就被这个山间庭院吞吐得差不多了？

这个庭院的力量，在于以千年韧劲弘扬了教育对于一个民族的极端重要性。我一直在想，历史上一切比较明智的统治者都会重视教育，他们办起教育来既有行政权力又有经济实力，当然会像模像样，但为什么没有一种官学能像岳麓书院那样天长地久呢？汉代的太学，唐代的宏文馆、崇文馆、国子学等等都是官学，但政府对这些官学投注了太多政治功利要求，控制又严，而政府控制一严又必然导致繁琐哲学和形式主义成风，教育多半成了科举制度的附庸，作为一项独立事业的自身品格却失落了。说是教育，却着力于实利、着意于空名、着眼于官场，这便是中国历代官学的通病，也是无数有关重视教育的慷慨表态最终都落实得不是地方的原因。当然，其中也不乏一些文化品格较高的官员企图从根本上另辟蹊径，但他们官职再大也摆脱不了体制性的重重制约，阻挡不了官场和社会对于教育的直接索讨，最终只能徒呼奈何。那么，干脆办一点不受官府严格控制的私学吧，但私学毕竟太琐小、太分散，汇聚不了多少海内名师，招集不了多少天下英才，而离开了这两方面的足够人数，教育就会失去一种至关重要的庄严氛围，就像宗教失去了仪式，比赛失去了场面，做不出多少事情来。

正是面对这种两难，一群杰出的教育家先后找到了两难之间的一块空间。有没有可能让几位名家牵头，避开闹市，在一些名山之上创办一些“民办官助”的书院呢？书院办在山上，包含着学术文化的传递和研究所必需的某种独立精神和超逸情怀；但又必须是名山，使这些书院显示出自身的重要性，与风水相接，与名师相称，在超逸之中追求着社会的知名度和号召力。立足于民办，使书院的主体意志不是根据一时的政治需要而是根据文人学士的文化逻辑来建立，教育与学术能够保持足够的自由度；但又必须获得官府援助，因为没有官府援助麻烦事甚多，要长久而大规模地办成一种文化教育事业是无法想像的。当然获得官府的援助需要付出代价，甚至也要接受某种控制，这就需要两相周旋了，最佳的情景是以书院的文化品格把各级官员身上存在的文化品格激发出来，让他们以文化人的身份来参与书院的事业，又凭借着权力给予实质性的帮助。这种情景，后来果然频频地出现了。

由此可见，书院的出现实在是一批高智商的文化构想者反复思考、精心设计的成果，它既保持了一种清风朗朗的文化理想，又大体符合中国国情，上可摩天，下可接地，与历史上大量不切实际的文化空想和终于流于世俗的短期行为都不一样，实在可说是中国文化史上一个让人赞叹不已的创举。中国名山间出现过的书院很多，延续状态最好，因此也最有名望的是岳麓书院和庐山的白鹿洞书院。

岳麓书院的教学体制在今天看来还是相当合理的。书院实行"山长负责制"，山长这个称呼听起来野趣十足，正恰与书院所在的环境相对应，但据我看来，这个称呼还包含着对朝廷级别的不在意，显现着幽默和自在，尽管事实上山长是在道德学问、管理能力、社会背景、朝野声望等方面都非常杰出的人物。他们只想好生管住一座书院，以及满山的春花秋叶、夏风冬月，管住一个独立的世界。名以山长，自谦中透着自傲。山长薪俸不低，生活优裕，我最近一次去岳麓书院还专门在历代山长居住的百泉轩流连良久，那么清丽优雅的住所，实在令人神往。在山长的执掌下，书院采取比较自由的教学方法，一般由山长本人或其他教师十天半月讲一次课，其他时间以自学为主,自学中有什么问题随时可向教师咨询,或学生间互相讨论。这样乍一看容易放任自流,实际上书院有明确的学规,课程安排清晰有序,每月有几次严格的考核,此外,学生还必须把自己每日读书的情况记在"功课程簿"上,山长定期亲自抽查。课程内容以经学、史学、文学、文字学(即小学)为主,也要学习应付科举考试的八股文和试帖诗,到了清代晚期,则又加入了不少自然科学方面的课程。可以想像,这种极有弹性的教学方式是很能酿造出一种令人心醉的学习气氛的,而这种气氛有时可能比课程本身还能熏陶人、感染人。直到外患内忧十分深重的一八四〇年,冯桂芬还在《重儒官议》中写道:

> 今天下惟书院稍稍有教育人才之意,而省城为最。余所见湖南之岳麓、城南两书院,山长体尊望重,大吏以礼宾之,诸生百许人列屋而居,书声彻户外,皋比之坐,问难无虚日,可谓盛矣!

这种响彻户外的书声,居然在岳麓山的清溪茂林间回荡了上千年!

在这种气氛中,岳麓书院的教学质量一直很高,远非官学所能比拟。早在宋代,长沙一带就出现了三个公认的教学等级:官办的州学学生成绩优秀者,可以升入湘西书院;在湘西书院里的高材生,可升入岳麓书院。在这个意义上,岳麓书院颇有点像我们现在的研究生院,高标独立,引人仰望。

办这样一个书院,钱从哪儿来呢?仔细想来,书院的开支不会太小,在编制上,除山长外,还有副山长、助教、讲书、监院、首事、斋长、堂长、管干等教学行政管理人员,还要有相当数量的厨子、门夫、堂夫、斋夫、更夫、藏书楼看守、碑亭看守等勤杂工役，这些人都要发给薪金；每个学生的吃、住、助学金、笔墨费均由书院供给，每月数次考核中的优胜者还要发放奖金；以上还都是日常开支，如果想造点房子、买点书、整修一个苑圃什么的，花费当然就更大了。书院的上述各项开支，主要是靠学田的收入。所谓学田，是指学院的田庄。政府官员想表示对书院的重视，就拨些土地下来，有钱人家想资助书院，往往也这么做，而很少直接赠送银两。书院有了这些田，就有了比较稳定的经济收入，即便是改朝换代，货币贬值，也不太怕了。学田租给人家种，有田租可收，一时用不了的，可投入典商生息，让死钱变成活钱。从现存书院的账目看，书院的各项开支总的说来都比较节俭，管理十分严格，绝无奢靡倾向。但学田的收入又往往少于支出，那就需要向官府申请补助了。我想，那些划给书院的土地是很值得自豪的，一样是黑色的泥土，一样是春种秋收，但千百年来却是为中国文化、为华夏英才提供着滋养，这与它们近旁的其他土地有多么的不同啊。现在我的案头有一本二十年前出版的书中谈到书院的学田，说书院借着学田“以地租和高利贷的剥削收入作为常年经费”，愤懑之情溢于言表。按照这种思维逻辑，地租和典息都是“剥削收入”，书院以此作为常年经费也就逃不脱邪恶了。为了这种莫名其妙的小农意识，宁肯不要教学和文化！中国的土地那么大，可以任其荒芜，可以沦为战场，只是划出那么微不足道的一小块而搞成了一项横贯千年的文明大业，竟还有人不高兴，这并不是笑话，而是历史上一再出现的事实。中国的教学和文化始终阻力重重，岳麓书院和其他书院常常陷于困境，也都与此有关。而我，则很想下一次去长沙时察访一下那些学田的所在，好好地看一看那些极其平常又极其不平常的土地。

三

岳麓书院能够延绵千年，除了上述管理操作上的成功外，更重要的是有一种人格力量的贯注。对一个教学和研究机构来说，这种力量便是一种灵魂。一旦散了魂，即便名山再美，学田再多，也成不了大气候。

教学，说到底，是人类的精神和生命在一种文明层面上的代代递交。这一点，历代岳麓书院的主持者们都是很清楚的。他们所制订的学规、学则、堂训、规条等等几乎都从道德修养出发对学生的行为规范提出要求，最终着眼于如何做一个品行端庄的文化人。事实上，他们所讲授的经、史、文学也大多以文化人格的建设为归结，尤其是后来成为岳麓书院学术支柱的宋明理学，在很大程度上几乎可以看作是中国古代的一门哲学——文化人格学。因此，山明水秀、书声琅琅的书院，也就成了文化人格的冶炼所。与此相应，在书院之外的哲学家和文化大师们也都非常看重书院的这一功能，在信息传播手段落后的古代，他们想不出有比在书院里向生徒们传道授业更理想的学术弘扬方式了，因此几乎毫无例外的企盼着有朝一日能参与这一冶炼工程。书院，把教学、学术研究、文化人格的建设和传递这三者，融合成了一体。

在这一点上，我特别想提一提朱熹和张栻这两位大师，他们无疑是岳麓书院跨时代的精神楷模。朱熹还对庐山的白鹿洞书院作出过类似的贡献，影响就更大了。我在岳麓书院漫步的时候，恍惚间能看到许多书院教育家飘逸的身影，而看得最清楚的则是朱熹，尽管他离开书院已有八百年。

朱熹是一位一辈子都想做教师的大学者。他的学术成就之高，可以用伟大诗人辛弃疾称赞他的一句话来概括："历数唐尧千载下，如公仅有两三人。"以一般眼光看来，这样一位大学问家，既没有必要也没有时间再去做教师了，若就社会地位论，他的官职也不低，更不必靠教师来显身扬名，但朱熹有着另一层面的思考。他说："人性皆善，而其类有善恶之殊者，气习之染也。故君子有教，则人皆可以复于善，而不当复论其类之恶矣！"(《论语集注》)又说："惟学为能变化气质耳。"(《答王子合》)他把教育看成是恢复人性、改变素质的根本途径，认为离开了这一途径，几乎谈不上社会和国家的安定和发展。"若不读书，便不知如何而能修身，如何而能齐家、治国"。(《语类》)在这位文化大师眼中，天底下没有任何一种事业比这更重要，因此他的目光一直注视着崇山间的座座书院，捕捉从那里传播出来的种种信息。

他知道比自己小三岁的哲学家张栻正主讲岳麓书院，他以前曾与张栻见过面，畅谈过，但有一些学术环节还需要进一步探讨。有没有可能，把这种探讨变成书院教学的一种内容呢？一一六七年八月，他下了个狠心，从福建崇安出发，由两名学生随行，不远千里地朝岳麓山走来。

朱熹抵达岳麓书院后就与张栻一起进行了中国文化史上极为著名的"朱、张会讲"。所谓会讲是岳麓书院的一种学术活动，不同学术观点的学派在或大或小的范围里进行探讨和论辩，学生也可旁听，既推动了学术又推动了教学。朱熹和张栻的会讲是极具魅力的，当时一个是三十七岁，一个是三十四岁，却都已跻身中国学术文化的最前列，用精密高超的思维探讨着哲学意义上人和人性的秘密，有时连续论争三天三夜都无法取得一致意见。除了当众会讲外他们还私下交谈，所取得的成果是：两人都越来越佩服对方，两人都觉得对方启发了自己，而两人以后的学术道路确实也都更加挺展了。《宋史》记载，张栻的学问“既见朱熹，相与博约，又大进焉”；而朱熹自己则在一封信中说，张栻的见解“卓然不可及，从游之久，反复开益为多”。朱熹还用诗句描述了他们两人的学术友情：

忆昔秋风里，
寻朋湘水旁。
胜游朝挽袂，
妙语夜连床。
别去多遗恨，
归来识大方。
惟应微密处，
犹欲细商量。
…………

（《有怀南轩呈伯崇择之二首》）

除了与张栻会讲外，朱熹还单独在岳麓书院讲学，当时朱熹的名声已经很大，前来听讲的人络绎不绝，不仅讲堂中人满为患，甚至听讲者骑来的马都把池水饮干了，所谓“一时舆马之众，饮池水立涸”，几乎与我二十七年前见到的岳麓山一样热闹了，只不过热闹在另一个方位，热闹在一种完全相反的意义上。朱熹除了在岳麓书院讲学外，又无法推却一江之隔的城南书院的邀请，只得经常横渡湘江，张栻愉快地陪着他来来去去，这个渡口，当地百姓后来就名之为“朱张渡”，以纪念这两位大学者的教学热忱。此后甚至还经常有人捐钱捐粮，作为朱张渡的修船费用。两位教育家的一段佳话，竟如此深入地铭刻在这片山川之间。

朱、张会讲后七年，张栻离开岳麓书院到外地任职，但没有几年就去世了，只活了四十七岁。张栻死后十四年即一一九四年，朱熹在再三推辞而未果后终于接受了湖南安抚使的职位再度来长沙。要么不来，既然来到长沙做官就一定要把旧游之地岳麓书院振兴起来，这时离他与张栻“挽袂”、“连床”已整整隔了二十七年，两位青年才俊不见了，只剩下一个六十余岁的老人。但是今天的他，德高望重又有职有权，有足够的实力把教育事业按照自己的心意整治一番，为全国树一个榜样。他把到长沙之前就一直在心中盘算的扩建岳麓书院的计划付诸实施，聘请了自己满意的人来具体负责书院事务，扩充招生名额，为书院置学田五十顷，并参照自己早年为庐山白鹿洞书院制订的学规颁发了《朱子书院教条》。如此有力的措施接二连三地下来，岳麓书院重又显现出一派繁荣。朱熹白天忙于官务，夜间则渡江过来讲课讨论，回答学生提问，从不厌倦。他与学生间的问答由学生回忆笔记，后来也成为学术领域的重要著作。被朱熹的学问和声望所吸引，当时岳麓书院已云集学者千余人，朱熹开讲的时候，每次都到“生徒云集，坐不能容”的地步。

每当我翻阅到这样的一些史料时总是面有喜色，觉得中华民族在本性上还有崇尚高层次文化教育的一面，中国历史在战乱和权术的漩涡中还有高洁典雅的篇章。只不过，保护这些篇章要拼耗巨大的人格力量。就拿书院来说吧，改朝换代的战火会把它焚毁，山长的去世、主讲的空缺会使它懈弛，经济上的入不敷出会使它困顿，社会风气的诱导会使它变质，有时甚至远在天边的朝廷也会给它带来意想不到的灾难。朝廷对于高层次的学术文化教育始终抱着一种矛盾心理，有时会真心诚意地褒奖、赏赐、题匾，有时又会怀疑这一事业中是否会有智力过高的知识分子“学术偏颇，志行邪伪”、“倡其邪说，广收无赖”，最终构成政治上的威胁，因此，历史上也不止一次地出现过由朝廷明令“毁天下书院”、“书院立即拆去”的事情（参见《野获编》、《皇明大政纪》等资料）。

这类风波，当然都会落在那些学者教育家头上，让他们短暂的生命去活生生地承受。说到底，风波总会过去，教育不会灭亡，但对具体的个人来说，置身其间是需要有超人的意志才能支撑住的。譬如朱熹，我们前面已经简单描述了他以六十余岁高龄重振岳麓书院时的无限风光，但实际上，他在此前此后一直蒙受着常人难以忍受的诬陷和攻击，他的讲席前听者如云，而他的内心则积贮着无法倾吐的苦水。大约在他重返长沙前的十年左右时间内，他一直被朝廷的高官们攻击为不学无术，欺世盗名，携门人而妄自推尊，实为乱人之首，宜摈斥勿用之人。幸好有担任太常博士的另一位大哲学家叶适出来说话，叶适与朱熹并不是一个学派，互相间观点甚至还很对立，但他知道朱熹的学术品格，在皇帝面前大声斥责那些诬陷朱熹的高官们“游辞无实，谗言横生，善良受害，无所不有”，才使朱熹还有可能到长沙来做官兴学。朱熹在长沙任内忍辱负重地大兴岳麓书院的举动没有逃过诬陷者们的注意，就在朱熹到长沙的第二年，他向学生们讲授的理学已被朝廷某些人宣判为“伪学”；再过一年，朱熹被免职，他的学生也遭逮捕，有一个叫余嘉的人甚至上奏皇帝要求处死朱熹：

枭首朝市，号令天下，庶伪学可绝，伪徒可消，而悖逆有所警。不然，作孽日新，祸且不测，臣恐朝廷之忧方大矣。

又过一年，“伪学”进一步升格为“逆党”，并把朱熹的学生和追随者都记入“伪学逆党籍”，多方拘捕。朱熹虽然没有被杀，但著作被禁，罪名深重，成天看着自己的学生和朋友一个个地因自己而受到迫害，心里实在不是味道。

但是，他还是以一个教育家的独特态度来面对这一切。例如一一九七年官府即将拘捕他的得意门生蔡元定的前夕，他闻讯后当即召集一百余名学生为蔡元定饯行，席间有的学生难过得哭起来了，而蔡元定却从容镇定，为自己敬爱的老师和他的学说去受罪，无怨无悔。

朱熹看到蔡元定的这种神态很是感动，席后对蔡元定说：我已老迈，今后也许难与你见面了，今天晚上与我住在一起吧。这天晚上，师生俩在一起竟然没有谈分别的事，而是通宵校订了《参同契》一书，直到东方发白。

蔡元定被官府拘捕后杖枷三千里流放，历尽千难万苦，死于道州。一路上，他始终记着那次饯行，那个通宵。世间每个人都会死在不同的身份上，却很少有人像蔡元定，以一个地地道道的学生的身份，踏上生命的最后跑道。

既然学生死得像个学生，那么教师也就更应该死得像个教师。蔡元定死后的第二年，一一九八年，朱熹避居东阳石洞，还是没有停止讲学。有人劝他，说朝廷对他正虎视眈眈呢，赶快别再召集学生讲课了，他笑而不答。直到一一九九年，他觉得真的已走到生命尽头了，自述道：我越来越衰弱了，想到那几个好学生都已死于贬所，而我却还活着，真是痛心，看来支撑不了多久了。果然这年三月九日，他病死于建阳。

这是一位真正的教育家之死。他晚年所受的灾难完全来自于他的学术和教育事业，对此，他的学生们最清楚。当他的遗体下葬时，散落在四方的学生都不怕朝廷禁令纷纷赶来，官府怕这些学生议论生事，还特令加强戒备。不能来的也在各地聚会纪念："讣告所至，从游之士与夫闻风慕义者，莫不相与为位为聚哭焉。禁锢虽严，有所不避也。"（《行状》）辛弃疾在挽文中写出了大家的共同感受：

所不朽者，垂万世名。孰谓公死，凛凛犹生。

果然不久之后朱熹和他的学说又备受推崇，那是后话，朱熹自己不知道了。让我振奋的不是朱熹死后终于被朝廷所承认，而是他和他的学生面对磨难竟然能把教师和学生这两个看似普通的称呼背后所蕴藏的职责和使命，表现得如此透彻，如此漂亮。在我看来，蔡元定之死和朱熹之死是能写出一部相当动人的悲剧作品来的。他们都不是死在岳麓书院，但他们以教师和学生的身份走向死亡的步伐是从岳麓书院迈出的。

朱熹去世三百年后，另一位旷世大学问家踏进了岳麓书院的大门，他便是我的同乡王阳明先生。王阳明先生刚被贬谪，贬谪地在贵州，路过岳麓山，顺便到书院讲点学。他的心情当然不会愉快，一天又一天在书院里郁郁地漫步，朱熹和张栻的学术观点他是不同意的，但置身于岳麓书院，他不能不重新对这两位前哲的名字凝神打量，然后吐出悠悠的诗句:“缅思两夫子,此地得徘徊……”

是的,在这里,时隔那么久,具体的学术观点是次要的了,让人反复缅思的是一些执着的人和一项不无神圣的事业。这项事业的全部辛劳、苦涩和委屈,都曾由岳麓书院的庭院见证和承载,包括二十七年前我潜身而入时所看到的那份空旷和寥落。空旷和寥落中还残留着一点淡淡的神圣,我轻轻一嗅,就改变了原定的旅程。

当然我在这个庭院里每次都也嗅到一股透骨的凉气。本来岳麓书院可以以它千年的流泽告诉我们,教育是一种世代性的积累,改变民族素质是一种历时久远的磨砺,但这种积累和磨砺是否都是往前走的呢?如果不是,那么,漫长的岁月不就组接成了一种让人痛心疾首的悲哀?你看我初次踏进这个庭院的当时,死了那么多年的朱熹又在遭难了,全国性的毁学狂潮,则比历史上任何一个朝代都盛。谁能说,历代教育家一辈子又一辈子浇下的心血和汗水,一定能滋养出文明的花朵,而这些花朵又永不凋谢?诚然,过一段时期总有人站出来为教育和教师张目,琅琅书声又会响彻九州,但岳麓书院可以作证,这一切也恰似潮涨潮落。不知怎么回事,我们这个文明古国有一种近乎天然的消解文明的机制,三下两下,琅琅书声沉寂了,代之以官场寒暄、市井嘈杂、小人哄闹。我一直疑惑,在人的整体素质特别在文化人格上,我们究竟比朱熹、张栻们所在的那个时代长进了多少?这一点,作为教育家的朱熹、张栻预料过吗?而我们,是否也能由此去猜想今后?

四

是的,人类历史上,许多燥热的过程、顽强的奋斗最终仍会组接成一种整体性的无奈和悲凉。教育事业本想靠着自身特殊的温度带领人们设法摆脱这个怪圈，结果它本身也陷于这个怪圈之中。对于一个真正的教育家来说，自己受苦受难不算什么，他们在接受这个职业的同时就接受了苦难；最使他们感到难过的也许是他们为之献身和苦苦企盼的“千年教化之功”，成效远不尽如人意。“履薄临深谅无几，且将余日付残编”，老一代教育家颓然老去，新一代教育家往往要从一个十分荒芜的起点重新开始。也许在技术传授上好一点，而在人性人格教育上则几乎总是这样。因为人性人格的造就总是生命化的，而一个人的生命又总是有限的，当一代学生终于衰老死亡，他们的教师对他们的塑造也就随风飘散了。这就是为什么几个学生之死会给朱熹带来那么大的悲哀。当然，被教师塑造成功的优秀学生会在社会上传播美好的能量，但这并不是教师所能明确期待和有效掌握的。更何况，总会有很多学生只学“术”而不学“道”，在人格意义上所散布的消极因素很容易把美好的东西抵消掉。还会有少数学生，成为有文化的不良之徒，与社会文明对抗，使善良的教师不得不天天为之而自责自嘲。

我自己，自从二十七年前的那个傍晚闯入岳麓书院后也终于做了教师，一做二十余年，其间还在自己毕业的母校，一所高等艺术学院担任了几年院长，说起来也算是尝过教育事业的甘苦了。我到很晚才知道，教育固然不无神圣，但并不是一项理想主义、英雄主义的事业，一个教师所能做到的事情十分有限。我们无力与各种力量抗争，至多在精力许可的年月里守住那个被称作学校的庭院，带着为数不多的学生参与一场陶冶人性人格的文化传递，目的无非是让参与者变得更像一个真正意义上的人，而对这个目的所能达到的程度，又不能期望过高。

突然想起了一条新闻，外国有个匪徒闯进了一家幼儿园，以要引爆炸药为威胁向政府勒索钱财，全世界都在为幼儿园里孩子们的安全担心，而幼儿园的一位年轻的保育员却告诉孩子们这是一个没有预告的游戏，她甚至把那个匪徒也描绘成游戏中的人物，结果，直到事件结束，孩子们都玩得很高兴。保育员无力与匪徒抗争，她也没有办法阻止这场灾难，她所能做的，只是在一个庭院里铺展一场温馨的游戏。孩子们也许永远不知道这场游戏的意义，也许长大以后会约略领悟到其中的人格内涵。我想，这就是教育工作的一个缩影。面对社会历史的风霜雨雪，教师掌握不了什么，只能暂时地掌握这个庭院，这间课堂，这些学生。

为此，在各种豪情壮志一一消退，一次次人生试验都未见多少成果之后，我和许多中国文化人一样，把师生关系和师生情分看成了自己生命的一个组成部分。我不否认，我对自己老师的尊敬和对自己学生的偏护有时会到盲目的地步。我是个文化人，我生命的主干属于文化，我活在世上的一项重要使命是接受文化和传递文化。因此，当我偶尔一个人默默省察自己的生命价值的时候，总会禁不住在心底轻轻呼喊：我的老师！我的学生！我就是你们！

我们拥有一个庭院，像岳麓书院，又不完全是，别人能侵凌它，毁坏它，却夺不走它。很久很久了，我们一直在那里，做着一场文化传代的游戏。至于游戏的结局，我们都不要问。

抱愧山西

一

我在山西境内旅行的时候，一直抱着一种惭愧的心情。

长期以来，我居然把山西看成是我国特别贫困的省份之一，而且从来没有对这种看法产生过怀疑。也许与那首动人的民歌《走西口》有关吧，《走西口》山西、陕西都唱，大体是指离开家乡到“口外”去谋生，如果日子过得下去，为什么要一把眼泪一把哀叹地背井离乡呢？也许受到了赵树理和其他被称之为“山药蛋派”作家群的感染，他们对山西人民贫穷和反抗的描写，以一种朴素的感性力量让人难以忘怀。当然，最具有决定性影响的还是山西东部那个叫做大寨的著名村庄，它一度被当作中国农村的缩影，那是过分了，但在大多数中国人的心目中它作为山西的缩影却是毋庸置疑的。满脸的皱纹，沉重的镢头，贫瘠的山头上开出了整齐的梯田，起早摸黑地种下了一排排玉米……最大的艰苦连接着最低的消费，憨厚的大寨人没有怨言，他们无法想像除了反复折腾脚下的泥土外还有什么其他过日子的方式，而对这些干燥灰黄的泥土又能有什么过高的要求呢？

直到今天，我们都没有资格去轻薄地嘲笑这些天底下最老实、最忠厚的农民。但是，当这个山村突然成了全国朝拜的对象，不远千里而来的参观学习队伍浩浩荡荡地挤满山路的时候，我们就不能不在形式主义的大热闹背后去寻找某种深层的蕴含了。我觉得，大寨的走红，是因为它的生态方式不经意地碰撞到了当时不少人心中一种微妙的尺度。大家并不喜欢贫困，却又十分担心富裕。大家花费几十年时间参与过的那场社会革命，是以改变贫困为号召的，改变贫困的革命方法是剥夺富裕，为了说明这种剥夺的合理性，又必须在逻辑上把富裕和罪恶画上等号。结果，既要改变贫困又不敢问津贫困的反面，不追求富裕却又想像着一个朦胧的远景，这就是人们在这个山村中找到的尺度。

当然，一种经过着力夸张的精神激情，毕竟无法掩盖事实上的贫困。来自全国各地的参观学习者们看到了一切，眼圈发红，半是感动半是同情。

但是，这一切是不公平的。大概是八九年前的某一天，我在翻阅一堆史料的时候发现了一些使我大吃一惊的事实，便急速地把手上的其他工作放下，专心致志地研究起来。很长一段时间，我查检了一本又一本的书籍，阅读了一篇又一篇的文稿，终于将信将疑地接受了这样一个结论：在上一世纪乃至以前相当长的时期内，中国最富有的省份不是我们现在可以想像的那些地区，而竟是山西！直到本世纪初，山西，仍是中国堂而皇之的金融贸易中心。北京、上海、广州、武汉等城市里那些比较像样的金融机构，最高总部大抵都在山西平遥县和太谷县几条寻常的街道间，这些大城市只不过是腰缠万贯的山西商人小试身手的码头而已。

山西商人之富，有许多天文数字可以引证，本文不作经济史的专门阐述，姑且省略了吧，反正在清代全国商业领域，人数最多、资本最厚、散布最广的是山西人；每次全国性募捐，捐出银两数最大的是山西人；要在全国排出最富的家庭和个人，最前面的一大串名字大多也是山西人；甚至，在京城宣告歇业回乡的各路商家中，携带钱财最多的又是山西人。

按照我们往常的观念，富裕必然是少数人残酷剥削多数人的结果，但事实是，山西商业贸易的发达、豪富人家奢华的消费，大大提高了所在地的就业幅度和整体生活水平，而那些大商人都是在千里万里间的金融流通过程中获利的，并不构成对当地人民的勒索。因此与全国相比，当时山西城镇百姓的一般生活水平也不低。有一份材料有趣地说明了这个问题。一八二二年，文化思想家龚自珍在《西域置行省议》一文中提出了一个大胆的政治建议，他认为自乾隆末年以来，民风腐败，国运堪忧，城市中“不士、不农、不工、不商之人，十将五六”，因此建议把这种无业人员和河北、河南、山东、陕西、甘肃、江西、福建等省人多地少地区的人大规模西迁，使之无产变为有产，无业变为有业。他觉得内地只有两个地方可以不考虑（“毋庸议”），一是江浙一带，那里的人民筋骨柔弱，吃不消长途跋涉；二是山西省：

山西号称海内最富，土著者不愿徙，毋庸议。

（《龚自珍全集》上海人民出版社一百〇六页）

龚自珍这里所指的不仅仅是富商，而且也包括土生土长的山西百姓，他们都会因“海内最富”而不愿迁徙，龚自珍觉得天经地义。

其实，细细回想起来，即便在我本人有限的所见所闻中，可以验证山西之富的事便也曾屡屡出现，可惜我把它们忽略了。例如现在苏州有一个规模不小的“中国戏曲博物馆”，我多次陪外国艺术家去参观，几乎每次都让客人们惊叹不已。尤其是那个精妙绝伦的戏台和演出场所，连贝聿铭这样的国际建筑大师都视为奇迹，但整个博物馆的原址却是“三晋会馆”，即山西人到苏州来做生意时的一个聚会场所。说起来苏州也算富庶繁华的了，没想到山西人轻轻松松来盖了一个会馆就把风光占尽。要找一个南方戏曲演出的最佳舞台作为文物永久保存，找来找去竟在人家山西人的一个临时俱乐部里找到了。记得当时我也曾为此发了一阵呆，却没有往下细想。

又如翻阅宋氏三姊妹的多种传记，总会读到宋霭龄到丈夫孔祥熙家乡去的描写，于是知道孔祥熙这位国民政府的财政部长也正是从山西太谷县走出来的。美国人罗比·尤恩森写的那本传记中说：“霭龄坐在一顶十六个农民抬着的轿子里，孔祥熙则骑着马，但是，使这位新娘大为吃惊的是，在这次艰苦的旅行结束时，她发现了一种前所未闻的最奢侈的生活。……因为一些重要的银行家住在太谷，所以这里常常称为‘中国的华尔街’。”我初读这本传记时也一定会在这些段落间稍稍停留，却也没有进一步去琢磨让宋霭龄这样的人物吃惊、被美国传记作家称为“中国的华尔街”，意味着什么。

看来，山西之富在我们上一辈人的心目中一定是世所共知的常识，我对山西的误解完全是出于对历史的无知。惟一可以原谅的是，在我们这一辈，产生这种误解的远不止我一人。

误解容易消除，原因却深可玩味，我一直认为，这里包含着我和我的同辈人在社会经济观念上的一大缺漏，一大偏颇，极须从根子上进行弥补和矫正。因此好些年来，我一直小心翼翼地期待着一次山西之行。记得在复旦大学、同济大学、华东师范大学等学校演讲时总有学生问我下一步最想考察的课题是什么，我总是提到清代的山西商人。

二

我终于来到了山西。为了平定一下慌乱的心情，与接待我的主人、山西电视台台长陆嘉生先生和该台的文艺部主任李保彤先生商量好，先把一些著名的常规景点游览完，最后再郑重其事地逼近我心里埋藏的那个大问号。

我的问号吸引了不少山西朋友，他们陪着我在太原一家家书店的角角落落寻找有关资料。黄鉴晖先生所著的《山西票号史》是我自己在一个书架的底层找到的，而那部洋洋一百二十余万言，包罗着大量账单报表的大开本《山西票号史料》则是一直为我开车的司机李俊文先生从一家书店的库房里挖出来的，连他，也因每天听我在车上讲这讲那，知道了我的需要。待到资料搜集得差不多，我就在电视编导章文涛先生、歌唱家单秀荣女士等山西朋友的陪同下，驱车向平遥和祁县出发了。在山西最红火的年代，财富的中心并不在省会太原，而在平遥、祁县和太谷，其中又以平遥为最。黄文涛先生在车上笑着对我说，虽然全车除了我之外都是山西人，但这次旅行的向导应该是我，原因只在于我读过一些史料。连“向导”也是第一次来，那么这种旅行自然也就成了一种寻找。

我知道，首先该找的是平遥西大街上中国第一家专营异地汇兑和存、放款业务的“票号”——大名鼎鼎的“日升昌”的旧址。这是今天中国大地上各式银行的“乡下祖父”，也是中国金融发展史上一个里程碑的所在。听我说罢，大家就对西大街上每一个门庭仔细打量起来。这一打量不要紧，才两三家，我们就已被一种从未领略过的气势所压倒。这实在是一条神奇的街，精雅的屋宇接连不断，森然的高墙紧密呼应，经过一二百年的风风雨雨，处处已显出苍老，但苍老而风骨犹在，竟然没有太多的破败感和潦倒感。许多与之年岁仿佛的文化宅第早已倾坍，而这些商用建筑却依然虎虎有生气，这使我联想到文士和商人的差别，从一般意义上说，后者的生命活力是否真的要大一些呢？

街道并不宽，每个体面门庭的花岗岩门坎上都有两道很深的车辙印痕，可以想见当年这条街道上是如何车水马龙的热闹。这些车马来自全国各地，驮载着金钱驮载着风险驮载着骄傲，驮载着九州的风俗和方言，驮载出一个南来北往经济血脉的大流畅。

西大街上每一个像样的门庭我们都走进去了，乍一看都像是气吞海内的日升昌，仔细一打听又都不是，直到最后看到平遥县文物局立的一块说明牌，才认定日升昌的真正旧址。一个机关占用着，但房屋结构基本保持原样，甚至连当年的匾额楹联还静静地悬挂着。我站在这个院子里凝神遥想，就是这儿，在几个聪明的山西人的指挥下，古老的中国终于有了一种专业化、网络化的货币汇兑机制，南北大地终于卸下了实银运送的沉重负担而实现了更为轻快的商业流通，商业流通所必需的存款、贷款，又由这个院落大口吞吐。

我知道每一家被我们怀疑成日升昌的门庭当时都在做着近似于日升昌的大文章，不是大票号就是大商行。如此密集的金融商业构架必然需要更大的城市服务系统来配套，其中包括适合来自全国不同地区的商家的旅馆业、餐饮业和娱乐业，当年平遥城会繁华到何等程度，我们已约略可以想见。平心而论，今天的平遥县城也不算萧条，但有不少是在庄严沉静的古典建筑外部添饰一些五颜六色的现代招牌，与古典建筑的原先主人相比，显得有点浮薄。我很想找山西省的哪个领导部门建议，下一个不大的决心，尽力恢复平遥西大街的原貌。现在全国许多城市都在建造"唐代一条街"、"宋代一条街"之类，那大多是根据历史记载和想像在依稀遗迹间的重起炉灶，看多了总不大是味道；平遥西大街的恢复就不必如此，因为基本的建筑都还保存完好，只要洗去那些现代涂抹，便会洗出一条充满历史厚度的老街，洗出山西人上一世纪的自豪。

平遥西大街是当年山西商人的工作场所，那他们的生活场所又是怎么样的呢？离开平遥后我们来到了祁县的乔家大院，一踏进大门就立即理解了当年宋霭龄女士在长途旅行后大吃一惊的原因。与我们同行的歌唱家单秀荣女士说："到这里我才真正明白了什么叫富贵。"其实单秀荣女士长期居住在北京，见过很多世面，并不孤陋寡闻。就我而言，全国各地的大宅深院也见得多了，但一进这个宅院，记忆中的诸多名园便立即显得过于柔雅小气。进门一条气势宏伟的甬道把整个住宅划分成好些个独立的世界，而每个世界都是中国古典建筑学中叹为观止的一流构建。张艺谋在这里拍摄了杰出的影片《大红灯笼高高挂》，那只是取了其中的一些角落而已。事实上，乔家大院真正的主人并不是过着影片中那种封闭生活，你只要在这个宅院中徜徉片刻，便能强烈地领略到一种心胸开阔、敢于驰骋华夏大地的豪迈气概。万里驰骋收敛成一个宅院，宅院的无数飞檐又指向着无边无际的云天。钟鸣鼎食的巨室不是像荣国府那样靠着先祖庇荫而碌碌无为地寄生，恰恰是天天靠着不断的创业实现着巨大的资金积累和财富滚动。因此，这个宅院没有像其他远年宅院那样传递给我们种种避世感、腐朽感或诡秘感，而是处处呈现出一种心态从容的中国一代巨商的人生风采。

乔家大院吸引着很多现代游客，人们来参观建筑，更是来领略这种逝去已久的人生风采。乔家的后人海内外多有散落，他们，是否对前辈的风采也有点陌生了呢？至少我感觉到，乔家大院周围的乔氏后裔，与他们的前辈已经是山高水远。大院打扫得很干净，每一进院落的冷僻处都标注着"卫生包干"的名单，一一看去，大多姓乔，后辈们是前辈宅院的忠实清扫者；至于宅院的大墙之外，无数称之为"乔家"的小店铺、小摊贩鳞次栉比，在巨商的脚下作着最小的买卖。

乔家，只是当年众多山西商家中的一家罢了。其他商家的后人又怎么样了呢？他们能约略猜度自己祖先的风采吗？

其实，这是一个超越家族范畴的共同历史课题。这些年来，连我这个江南人也经常悬想：创建了"海内最富"奇迹的人们，你们究竟是何等样人，是怎么走进历史又从历史中消失的呢？我只有在《山西票号史料》中看到过一幅模糊不清的照片，日升昌票号门外，为了拍照，端然站立着两个白色衣衫的年长男人，意态平静，似笑非笑，这就是你们吗？

三

在一页页陈年的账单报表间，我很难把他们切实抓住。能够有把握作出判断的只是，山西商人致富，既不是由于自然条件优越，又不是由于祖辈的世袭遗赠。他们无一不是经历过一场超越环境、超越家世的严酷搏斗，才一步步走向成功的。

山西平遥、祁县、太谷一带，自然条件并不好，没有太多的物产。查一查地图就知道，它们其实离我们的大寨并不远。经商的洪流从这里卷起，重要的原因恰恰在于这一带客观环境欠佳。

万历《汾州府志》卷二记载："平遥县地瘠薄，气刚劲，人多耕织少。"

乾隆《太谷县志》卷三说太谷县"民多而田少，竭丰年之谷，不足供两月。故耕种之外，咸善谋生，跋涉数千里，率以为常。土俗殷富，实由此焉"。

读了这些疏疏落落的官方记述，我不禁对山西商人深深地敬佩起来。家乡那么贫困那么拥挤，怎么办呢？可以你争我夺、蝇营狗苟，可以自甘潦倒、忍饥挨饿，可以埋首终身、聊以餬口，当然，也可以破门入户、抢掠造反，——按照我们所熟悉的历史观，过去的一切贫困都出自政治原因，因此惟一值得称颂的道路只有让所有的农民都投入政治性的反抗。但是，在山西这几个县，竟然有这么多农民做出了完全不同于以上任何一条道路的选择，他们不甘受苦，却又毫无政权欲望；他们感觉到了拥挤，却又不愿意倾轧乡亲同胞；他们不相信不劳而获，却又不愿将一生的汗水都向一块狭小的泥土上灌浇。他们把迷惘的目光投向家乡之外的辽阔天地，试图用一个男子汉的强韧筋骨走出另外一条摆脱贫困的大道。他们几乎都没有多少文化，却向中国古代和现代的人生哲学和历史观念，提供了一些不能忽视的材料。

他们首先选择的，正是"走西口"。口外，为数不小的驻防军队需要粮秣，大片的土地需要有人耕种；耕种者、军人和蒙古游牧部落需要大量的生活用品，期待着一支民间贸易队伍；塞北的毛皮、呢绒原料是内地贵胄之家的必需品，为商贩们留出了很多机会；商事往返的频繁又呼唤着大量旅舍、客店、饭庄的出现……总而言之，只要敢于走出去悉心寻求、刻苦努力，口外确实能创造出一块生气勃勃的生命空间。从清代前期开始，山西农民“走西口”的队伍越来越大，于是我们在本文开头提到过的那首民歌也就响起在许多村口、路边：

哥哥你走西口，
小妹妹我实在难留。
手拉着哥哥的手，
送哥送到大门口。

哥哥你走西口，
小妹妹我有话儿留：
走路要走大路口，
人马多来解忧愁。

紧紧拉着哥哥的手，
汪汪泪水扑沥沥地流。
只恨妹妹我不能跟你一起走，
只盼哥哥早回家门口。

…………

我怀疑我们以前对这首民歌的理解过于浮浅了。我怀疑我们直到今天也未必有理由用怜悯、同情的目光去俯视一对对年轻夫妻的哀伤离别。听听这些多情的歌词就可明白，远行的男子在家乡并不孤苦伶仃，他们不管是否成家，都有一份强烈的爱恋，都有一个足可生死以之的伴侣，他们本可过一种艰辛却很温馨的日子了此一生的，但他们还是狠狠心踏出了家门，而他们的恋人竟然也都能理解，把绵绵的恋情从小屋里释放出来，交付给朔北大漠。哭是哭了，唱是唱了，走还是走了。我相信，那些多情女子在大路边滴下的眼泪，为山西终成"海内最富"的局面播下了最初的种子。

这不是臆想，你看乾隆初年山西"走西口"的队伍中，正挤着一个来自祁县乔家堡村的贫苦的青年农民，他叫乔贵发，来到口外一家小当铺里当了伙计。就是这个青年农民，开创了乔家大院的最初家业。乔贵发和他后代的奋斗并不仅仅发达了一个家族，他们所开设的"复盛公"商号，奠定了整整一个包头市的商业基础，以至出现了这样一句广泛流传的民谚："先有复盛公，后有包头城。"谁能想到，那一个个擦一把眼泪便匆忙向口外走去的青年农民，竟然有可能成为一座偌大的城市、一种宏伟的文明的缔造者！因此，当我看到山西电视台拍摄的专题片《走西口》以大气磅礴的交响乐来演奏这首民歌时，不禁热泪盈眶。

山西人经商当然不仅仅是走西口，到后来，他们东南西北几乎无所不往了。由走西口到闯荡全中国，多少山西人一生都颠簸在漫漫长途中。当时交通落后、邮递不便，其间的辛劳和酸楚也实在是说不完、道不尽的。一个成功者背后隐藏着无数的失败者，在宏大的财富积累后面，山西人付出了极其昂贵的人生代价。黄鉴晖先生曾经根据史料记述过乾隆年间一些山西远行者的心酸故事——

临汾县有一个叫田树楷的人从小没有见过父亲的面，他出生的时候父亲就在外面经商，一直到他长大，父亲还没有回来，他依稀听说，父亲走的是西北一路，因此就下了一个大决心，到陕西、甘肃一带苦苦寻找、打听。整整找了三年，最后在酒泉街头遇到一个山西老人，竟是他从未见面的父亲；

阳曲县的商人张瑛外出做生意，整整二十年没能回家。他的大儿子张廷材听说他可能在宣府，便去寻找他，但张廷材去了多年也没有了音讯。小儿子张廷梣长大了再去找父亲和哥哥，找了一年多谁也没有找到，自己的盘缠却用完了，成了乞丐。在行乞时遇见一个农民似曾相识，仔细一看竟是哥哥，哥哥告诉他，父亲的消息已经打听到了，在张家口卖菜；

交城县徐学颜的父亲远行关东做生意二十余年杳无音信，徐学颜长途跋涉到关东寻找，一直找到吉林省东北端的一个村庄，才遇到一个乡亲，乡亲告诉他，他父亲早已死了七年；

…………

不难想像，这一类真实的故事可以没完没了地讲下去，而一切走西口、闯全国的山西商人，心头都埋藏着无数这样的故事。于是，年轻恋人的歌声更加凄楚了：

哥哥你走西口，
小妹妹我苦在心头，
这一去要多少时候，
盼你也要白了头！

被那么多失败者的故事重压着，被恋人凄楚的歌声拖牵着，山西商人却越走越远，他们要走出一个好听一点的故事，他们迈出的步伐，既悲怆又沉静。

四

义无反顾的出发，并不一定能到达预想的彼岸，在商业领域尤其如此。

山西商人全方位的成功，与他们良好的整体素质有关。这种素质，特别适合于大规模的商业活动，因此也可称之为商业人格。我接触的材料不多，只是朦胧感到，山西商人在人格素质上至少有以下几个方面十分引人注目——

其一，坦然从商。做商人就是做商人，没有什么遮遮掩掩、羞羞答答的。这种心态，在我们中国长久未能普及。士、农、工、商，是人们心目中的社会定位序列，商人处于末位，虽不无钱财却地位卑贱，与仕途官场几乎绝缘。为此，许多人即便做了商人也竭力打扮成"儒商"，发了财则急忙办学，让子弟正正经经做个读书人。在这一点上最有趣的是安徽商人，本来徽商也是一支十分强大的商业势力，完全可与山西商人南北抗衡（由此想到我对安徽也一直有误会，把它看成是南方的贫困省份，容以后有机会专门说说安徽的事情），但徽州民风又十分重视科举，使一大批很成功的商人在自己和后代的人生取向上左右为难、进退维谷。这种情景在山西没有出现，小孩子读几年书就去学生意了，大家都觉得理所当然。最后连雍正皇帝也认为山西的社会定位序列与别处不同，竟是：第一经商，第二务农，第三行伍，第四读书（见雍正二年对刘于义奏疏的朱批）。在这种独特的心理环境中，山西商人对自身职业没有太多的精神负担，把商人做纯粹了。

其二，目光远大。山西商人本来就是背井离乡的远行者，因此经商时很少有空间框范，而这正是商业文明与农业文明的本质差异。整个中国版图都在视野之内，谈论天南海北就像谈论街坊邻里，这种在地理空间上的心理优势，使山西商人最能发现各个地区在贸易上的强项和弱项、潜力和障碍，然后像下一盘围棋一样把它一一走通。你看，当康熙皇帝开始实行满蒙友好政策、停息边陲战火之后，山西商人反应最早，很快知道自己该干什么了，面向蒙古、新疆乃至西伯利亚的庞大商队组建起来，光"大盛魁"的商队就拴有骆驼十万头，这是何等的眼光。商队带出关的商品必须向华北、华中、华南各地采购，因而他们又把整个中国的物产特色和运输网络掌握在手中。又如，清代南方诸商业中以盐业赚钱最多，但盐业由政府实行专卖，许可证都捏在两淮盐商手上，山西商人本难插足，但他们不着急，只在两淮盐商资金紧缺的时候给予慷慨的借贷，条件是稍稍让给他们一点盐业经营权。久而久之，两淮盐业便越来越多地被山西商人所控制。可见山西商人始终凝视着全国商业大格局，不允许自己在哪个重要块面上有缺漏，不管这些块面处地多远，原先与自己有没有关系。人们可以称赞他们"随机应变"，但对"机"的发现，正由于视野的开阔，目光的敏锐。当然，最能显现山西商人目光的莫过于一系列票号的建立了，他们先人一步看出了金融对于商业的重要，于是就把东南西北的金融命脉梳理通畅，稳稳地把自己放在全国民间钱财流通主宰者的地位上。这种种作为，都是大手笔，与投机取巧的小打小闹完全不可同日而语。我想拥有如此的气概和谋略，大概与三晋文明的深厚蕴藏、表里山河的自然陶冶有关，我们只能抬头仰望了。

其三，讲究信义。山西商人能快速地打开大局面，往往出自于结队成帮的群体行为，而不是偷偷摸摸的个人冒险。只要稍一涉猎山西的商业史料，便立即会看到一批又一批的所谓"联号"。或是兄弟，或是父子，或是朋友，或是乡邻，组合成一个有分有合、互通有无的集团势力，大模大样地铺展开去，不仅气势压人，而且呼应灵活、左右逢源，构成一种商业大气候。其实山西商人即便对联号系统之外的商家，也会尽力帮衬。其他商家借了巨款而终于无力偿还，借出的商家便大方地一笔勾销，这样的事情在山西商人间所在多有，不足为奇。例如我经常读到这样一些史料：有一家商号欠了另一家商号白银六万两，到后来实在还不出了，借入方的老板就到借出方的老板那里磕了个头，说明困境，借出方的老板就挥一挥手，算了事了；一个店欠了另一个店千元现洋，还不出，借出店为了照顾借入店的自尊心，就让它象征性地还了一把斧头、一个箩筐，哈哈一笑也算了事。山西人机智而不小心眼，厚实而不排他，不愿意为了眼前小利而背信弃义，这很可称之为"大商人心态"，在南方商家中虽然也有，但不如山西坚实。不仅如此，他们在具体的产业行为上也特别讲究信誉，否则那些专营银两汇兑、资金存放的山西票号，怎么能取得全国各地百姓长达百余年的信任呢？众所周知，当时我国的金融信托事业并没多少社会公证机制和监督机制，即便失信也几乎不存在惩处机制，因此一切全都依赖信誉和道义。金融信托事业的竞争，说到底是信誉和道义的竞争，而在这场竞争中，山西商人长久地处于领先地位，他们竟能给远远近近的异乡人一种极其稳定的可靠感，这实在是很了不得的事情。商业同行相互间的道义和商业行为本身的道义加在一起，使山西商人给中国商业文明增添了不少人格意义上的光彩,也为中国思想史上历时千年的"义利之辩"(例如很多人习惯地认为只要经商必然见利忘义)增加了新的思考方位。

其四,严于管理。山西商人最发迹的年代,朝廷对商业、金融业的管理基本上处于无政府状态,例如众多的票号就从来不必向官府登记、领执照、纳税,也基本上不受法律的约束,面对如许的自由,厚重的山西商人却很少有随心所欲的放纵习气,而是加紧制订行业规范和经营守则,通过严格的自我约束,在无序中求得有序,因为他们明白,一切无序的行为至多得利于一时,不能立业于长久。我曾恭敬地读过上世纪许多山西商家的"号规",不仅严密、切实,而且充满智慧,即便从现代管理科学的眼光去看也很有价值,足可证明在当时山西商人的队伍中已经出现了一批真正的管理专家,而其中像日升昌票号总经理雷履泰这样的人,则完全可以称之为商业管理大师而雄视一代。历史地来看,他们制订和执行的许多规则,正是他们的事业立百年而不衰的秘诀所在。例如不少山西大商家在内部机制上改变了一般的雇佣关系,把财东和总经理的关系纳入规范,总经理负有经营管理的全责,财东老板除发现总经理有积私肥己的行为可以撤换外,平时不能随便地颐指气使;职员须订立从业契约,并划出明确等级,收入悬殊,定期考察升迁,数目不小的高级职员与财东共享股份,到期分红,使整个商行上上下下在利益上休戚与共、情同一家;总号对于遍布全国的分号容易失控,因此进一步制定分号向总号和其他分号的报账规则、分号职工的书信、汇款、省亲规则……凡此种种,使许多山西商号的日常运作越来越正常,一代巨贾也就分得出精力去开拓新的领域,不必为已有产业搞得精疲力竭了。

以上几个方面，不知道是否大体勾勒出了山西商人的商业人格？不管怎么说，有了这几个方面，当年走西口的小伙子们也就像模像样地做成了大生意，掸一掸身上的尘土，堂堂正正地走进了一代中国富豪的行列。

何谓山西商人？我的回答是：走西口的哥哥回来了，回来在一个十分强健的人格水平上。

然而，一切逻辑概括总带有“提纯”后的片面性，实际上，只要再往深处窥探，山西商人的人格结构中还有脆弱的一面。他们人数再多，在整个中国还是一个稀罕的群落，他们敢作敢为，却也经常遇到自信的边界。他们奋斗了那么多年，却从来没有遇到过一个能够代表他们说话的思想家。他们的行为缺少高层理性力量的支撑，他们的成就没有被赋予雄辩的历史理由。严密的哲学思维、精微的学术头脑似乎一直在躲避着他们。他们已经有力地改变了中国社会，但社会改革家们却一心注目于政治，把他们冷落在一边。说到底，他们只能靠钱财发言，但钱财的发言又是那样缺少道义力量，究竟能产生多少精神效果呢？而没有外在的精神效果，他们也就无法建立内在的精神王国，即便在商务上再成功也难于抵达人生的大安详。

是时代，是历史，是环境，使这些商业实务上的成功者没能成为历史意志的觉悟者。一群缺少皈依的强人，一拨精神贫乏的富豪，一批在根本性的大问题上不大能掌握得住自己的掌柜。他们的出发地和终结点都在农村，他们能在前后左右找到的参照物只有旧式家庭的深宅大院，因此，他们的人生规范中不得不融化进大量中国式的封建色彩，当他们成功发迹而执掌一大门户时，封建家长制的权威是他们可追摹的惟一范本。于是他们的商业人格不能不自相矛盾乃至自相分裂，有时还会逐步走到自身优势的反面，做出与创业时判若两人的作为。在我看来，这一切，正是山西商人在风光百年后终于困顿、迷乱、内耗、败落的内在原因。

在这里，我想谈一谈几家票号历史上发生的一些不愉快的人事纠纷，可能会使我们对山西商人人格构成的另一面有较多的感性了解。

最大的纠纷发生在上文提到过的日升昌总经理雷履泰和第一副总经理毛鸿翙之间。毫无疑问，两位都是那个时候堪称全国一流的商业管理专家，一起创办了日升昌票号，因此也是中国金融史上一个新阶段的开创者，都应该名垂史册。雷履泰气度恢宏，能力超群，又有很大的交际魅力，几乎是天造地设的商界领袖；毛鸿翙虽然比雷履泰年轻十七岁，却也是才华横溢、英气逼人。两位强人撞到了一起，开始是亲如手足、相得益彰，但在事业获得成功之后却不可避免地遇到了一个中国式的大难题：究竟谁是第一功臣？

一次，雷履泰生了病在票号中休养，日常事务不管，遇到大事还要由他拍板。这使毛鸿翙觉得有点不大痛快，便对财东老板说："总经理在票号里养病不太安静，还是让他回家休息吧。"财东老板就去找了雷履泰，雷履泰说，我也早有这个意思，当天就回家了。过几天财东老板去雷家探视，发现雷履泰正忙着向全国各地的分号发信，便问他干什么，雷履泰说："老板，日升昌票号是你的，但全国各地的分号却是我安设在那里的，我正在一一撤回来好交待给你。"老板一听大事不好，立即跪在雷履泰面前，求他千万别撤分号，雷履泰最后只得说："起来吧，我也估计到让我回家不是你的主意。"老板求他重新回票号视事，雷履泰却再也不去上班。老板没办法，只好每天派伙计送酒席一桌，银子五十两。毛鸿翙看到这个情景，知道不能再在日升昌待下去了，便辞职去了蔚泰厚布庄。

这事件乍一听都会为雷履泰叫好，但转念一想又觉得不是味道。是的，雷履泰获得了全胜，毛鸿翙一败涂地，然而这里无所谓是非，只是权术。用权术击败的对手是一段辉煌历史的共创者，于是这段历史也立即破残。中国许多方面的历史总是无法写得痛快淋漓、有声有色，很大一部分原因就在于这种有代表性的历史人物之间必然会产生的恶性冲突。商界的竞争较量不可避免，但一旦脱离业务的轨道，在人生的层面上把对手逼上绝路，总与健康的商业动作规范相去遥遥。

毛鸿翙当然也要咬着牙齿进行报复，他到了蔚泰厚之后就把日升昌票号中两个特别精明能干的伙计挖走并委以重任，三个人配合默契，把蔚泰厚的商务快速地推上了台阶。雷履泰气恨难纾，竟然写信给自己的各个分号，揭露被毛鸿翙勾走的两名“小卒”出身低贱，只是汤官和皂隶之子罢了。事情做到这个份上，这位总经理已经很失身份，但他还不罢休，不管在什么地方，只要一有机会就拆蔚泰厚的台，例如由于雷履泰的谋划，蔚泰厚的苏州分店就无法做分文的生意。这就不是正常的商业竞争了。

最让我难过的是，雷、毛这两位智商极高的杰出人物在勾心斗角中采用的手法越来越庸俗，最后竟然都让自己的孙子起一个与对方一样的名字，以示污辱：雷履泰的孙子叫雷鸿翙，而毛鸿翙的孙子则叫毛履泰！这种污辱方法当然是纯粹中国化的，我不知道他们在憎恨敌手的同时是否还爱惜儿孙，我不知道他们用这种名字呼叫孙子的时候会用一种什么样的口气和声调。

可敬可佩的山西商人啊，难道这是你们给后代的遗赠？你们创业之初的吞天豪气和动人信义都到哪里去了？怎么会让如此无聊的诅咒来长久地占据你们日渐苍老的心？

也许，最终使他们感到温暖的还是早年跨出家门时听到的那首《走西口》，但是，庞大的家业也带来了家庭内情感关系的复杂化，《走西口》所吐露的那种单纯性已不复再现。据乔家后裔回忆，乔家大院的内厨房偏院中曾有一位神秘的老妪在干粗活，玄衣愁容，旁若无人，但气质又绝非佣人。有人说这就是“大奶奶”，主人的首席夫人。主人与夫人产生了什么麻烦，谁也不清楚，但毫无疑问，当他们偶尔四目相对，《走西口》的旋律立即就会走音。

写到这里我已知道，我所碰撞到的问题虽然发生在山西却又远远超越了山西。由这里发出的叹息，应该属于我们父母之邦的更广阔的天地。

五

当然，我们不能因此而把山西商人败落的原因，全然归之于他们自身。就一二家铺号的兴衰而言，自身的原因可能至关重要；然而一种牵涉到山西无数商家的世纪性繁华的整个败落，一定会有更深刻、更宏大的社会历史原因。

商业机制的时代性转换固然是一个原因。政府银行的组建、国际商业的渗透、沿海市场的膨胀，都可能使那些以山西腹地几个县城为总指挥部的家族式商业体制受到严重挑战，但这还不是它们整体败落的主要理由。因为政府银行不能代替民间金融事业，国际商业无法全然取代民族资本，市场重心的挪移更不会动摇已把自己的活动网络遍布全国各地的山西商行，更何况庞大的晋商队伍历来有随机应变的本事，它的领袖人物和决策者们长期驻足北京、上海、武汉，一心只想适应潮流，根本不存在冥顽不化地与新时代对抗的决心。说实话，中国在变又没有大变，积数百年经商经验的山西人在中国的土地上继续活跃下去的余地是很大的，即便到了今天，我们仍然很难断言中国已进入了一种全新的商业文明，换言之，如果没有其他原因使晋商败落，他们在今天也未必会显得多么悖时落伍。

那么，使山西商人整体破败的根本原因究竟在哪里呢？

我认为，是上个世纪中叶以来连续不断的激进主义的暴力冲撞，一次次阻断了中国经济自然演进的路程，最终摧毁了山西商人。

一切可让史料作证。

先是太平天国运动。我相信许多历史学家还会继续热烈地歌颂这次规模巨大的农民起义，但似乎也应该允许我们好好谈一谈它无法掩盖的消极面吧，至少在经济问题上？事实是，这次历时十数年的暴力行动，只要是所到的城镇，几乎所有的商业活动都遭到严重破坏，店铺关门、商人逃亡、金融死滞、城镇人民的生活无法正常进行。史料记载，太平军到武昌后，“汉地惊慌至极，大小居民、铺户四处乱逃”，票号、银号、当铺“一律歇闭”、“荡然无存”，多种商事，“兵燹以后无继起者”。太平军到苏州后，“商贾流离”、“江路不通”、“城内店铺亦歇，相继逃散”。太平军逼近天津时，账局停歇，街市十三行中所有自食其力的劳动者“皆已失业”。受其影响，北京也是“各行业闭歇，居民生活处于困境”。至于全国各地一般中小城镇，兵伍所及，“一路蹂躏”、“死伤遍野”，经济上更是“商贾裹足，厘源梗塞”。十余年间，有不少地方太平军和清军进行过多次拉锯战，每次又把灾难重复一遍。到最后太平天国自己内讧，石达开率十万余人马离开天京在华东、华中、西南地区独立作战，重把沿途的经济大规模地洗刷了一遍，所谓“荡然无存”往往已不是夸张之言。

面对这种情况，山西商号在全国各地的分号只得纷纷撤回。我看到一份材料，一八六一年一月，日升昌票号总部接成都分号信，报告“贼匪扰乱不堪”，总部立即命令成都分号归入重庆分号“暂作躲避”，又命令广州分号随时观察重庆形势；但三个月后，已经必须命令广州分号也立即撤回了，命令说：“务以速归早回为是，万万不可再为迟延，早回一天，即算有功，至要至要！”一个大商号的慌乱神情溢于言表。面对着在中国大地上流荡不已的暴力洪流，山西商人只能慌忙地龟缩回家乡的小县城里去了，他们的事业遭受到何等的创伤，不言而喻。

令人惊叹的是，在太平天国之后，山西商家经过一段时间的休养生息，竟又重整旗鼓，东山再起。后来一再地经历英法联军入侵、八国联军进犯、庚子赔款摊派等七灾八难居然都能艰难撑持、绝处逢生，甚至获得可观的发展。这证明，人民的生活本能、生存本能、经济本能是极其强大的，就像野火之后的劲草，岩石底下的深根，不屈不挠。在我看来，一切社会改革的举动，都以保护而不是破坏这种本能为好，否则社会改革的终极目的又算是什么呢？可惜慷慨激昂的政治家们常常忘记了这一点，离开了世俗寻常的生态秩序，只追求法兰西革命式的激动人心。在激动人心的呼喊中，人民的经济生活形态和社会生存方式是否真正进步，却很少有人问津。

终于，又遇到了辛亥革命。这场革命最终推翻了清王朝的统治，自有其历史意义，但无可讳言的是，无穷无尽的社会动乱、军阀混战也从此开始，山西商家怎么也挺立不住了。

民军与清军的军事对抗所造成的对城市经济的破坏可以想像，各路盗贼趁乱抢劫、兵匪一家扫荡街市更是没完没了，致使各大城市工商企业破产关闭的情景比太平天国时期还要严重。工商企业关门了，原先票号贷给他们的巨额款项也收不了，而存款的民众却在人心惶惶中争相挤兑，票号顷刻之间垮得气息奄奄。本来山西商家的业务遍及全国各地，辛亥革命后几个省份一独立，业务中断，欠款不知向谁索要，许多商家的经理、伙计害怕别人讨账竟然纷纷相率逃跑，一批批票号、商号倒闭清理，与它们有关系的民众怨声如沸又束手无策。

走投无路的山西商人傻想，北洋政府总不会眼看着一系列实业的瘫痪而见死不救吧，便公推六位代表向政府请愿，希望政府能贷款帮助，或由政府担保向外商借贷。政府对请愿团的回答是：山西商号信用久孚，政府从保商恤商考虑，理应帮助维持，可惜国家财政万分困难，他日必竭力斡旋。

满纸空话，一无所获，惟一落实的决定十分出人意外：政府看上了请愿团首席代表范元澍，发给月薪二百元，委派他到破落了的山西票号中物色能干的伙计到政府银行任职。这一决定如果不是有意讽刺，那也足以说明，这次请愿活动是真正地惨败了。国家财政万分困难是可信的，山西商家的最后一线希望彻底破灭。“走西口”的旅程，终于走到了终点。

于是，人们在一九一五年三月份的《大公报》上读到了一篇发自山西太原的文章，文中这样描写那些一一倒闭的商号：

彼巍巍灿烂之华屋，无不铁扉双锁，黯淡无色。门前双眼怒突之小狮，一似泪涔涔下，欲作河南之吼，代主人喝其不平。前月北京所宣传倒闭之日升昌，其本店耸立其间，门前尚悬日升昌金字招牌，闻其主人已宣告破产，由法院捕其来京矣。

这便是一代财雄们的下场。

如果这是社会革新的代价，那么革新了的社会有没有为民间商业提供更大的活力呢？有没有创建山西商人创建过的世纪性繁华呢？

对此，我虽然代表不了什么，却要再一次向山西抱愧，只为我也曾盲目地相信过某些经不住如此深问的糊涂观念。

六

我的山西之行结束了，心头却一直隐约着一群山西商人的面影，怎么也排遣不掉。细看表情，仍然像那张模糊的照片上的，似笑非笑。

离开太原前，当地作家华而实先生请我吃饭，一问之下他竟然也在关注前代山西商人。但他没有多说什么，只是递给我他写给今天山西企业家们看的一篇文章，题目叫做《海内最富》。我一眼就看到了这样一段：

海内最富！海内最富！

山西在全国经济结构中曾经占据过这样一个显赫的

地位！

很遥远了吗？晋商的鼎盛春秋长达数百年，它的衰落也不过是近几十年的事。

——底下还有很多话，慢慢再读不迟，我抬起头来，看着华而实先生的脸，他竟然也是似笑非笑。

席间听说，今天，连大寨的农民也已开始经商。

乡关何处

一

本文的标题，取自唐代诗人崔颢《黄鹤楼》一诗中的名句“日暮乡关何处是？烟波江上使人愁。”看来崔颢是在黄昏时分登上黄鹤楼的，孤零零一个人，突然产生了一种强烈的被遗弃感。被谁遗弃？不是被什么人，而是被时间和空间。在时间上，古人飘然远去不再回来，空留白云千载；在空间上，眼下虽有晴川沙洲、茂树芳草，而我的家乡在哪里呢？

崔颢的家乡在河南开封，离黄鹤楼有点远又不太远。这是很多人都知道的，那他为什么还要这样发问呢？我想任何一个早年离乡的游子在思念家乡时都会有一种两重性：他心中的家乡既具体又不具体。具体可具体到一个河湾，几棵小树，半壁苍苔；但是如果仅仅如此，焦渴的思念完全可以转换成回乡的行动，然而真的回乡又总是失望，天天萦绕我心头的这一切原来是这样的吗？就像在一首激情澎湃的名诗后面突然看到了一幅太逼真的插图，诗意顿消。因此，真正的游子是不大愿意回乡的，即使偶尔回去一下也会很快出走，走在外面又没完没了地思念，结果终于傻傻地问自己家乡究竟在哪里。

据说李白登黄鹤楼时看到了崔颢题在楼壁上的这首诗很为赞赏，认为既然有了这样的诗，自己也就用不着写了。我觉得，高傲的李白假如真的看上了这首诗，一定不在于其他方面，而在于这种站在高处自问家乡何在的迷茫心态。因为在这一点上，李白深有共鸣。

只要是稍识文墨的中国人大概没有不会背李白“床前明月光，疑是地上霜，举头望明月，低头思故乡”这首诗的，一背几十年大家都成了殷切的思乡者。但李白的家乡在哪里呢？没有认真去想过。“文化大革命”中几乎完全没书看的那几年，突然出了一本郭沫若的《李白与杜甫》，赶快找来看，郭沫若对杜甫的批判和嘲弄是很少有人能接受的，但他对李白祖籍和出生地的详尽考证，却使我惆怅万分。郭沫若考定李白的出生地西域碎叶是在苏联的一个地方，书籍出版时中苏关系正紧张着。因此显得更遥远、更隔膜，几乎是在另外一个世界。李白看罢明月低下头去思念的竟是那个地方吗？

奇怪的是，这位写下中华第一思乡诗的诗人总也不回故乡。是忙吗？不是，他一生都在旅行，也没有承担多少推卸不了的要务，回乡并不太难，但他却老是找陌生的路去跋涉。到了一个十字路口，一条路直通故乡，一条路伸向异乡，李白或许会犹豫片刻，但狠狠心还是走了第二条路。日本学者松浦友久说李白一生要努力使自己处于“置身异乡”的体验之中，因此成了一个不停步的流浪者，我看说得很有道理。

置身异乡的体验非常独特。乍一看，置身异乡所接触的全是陌生的东西，原先的自我一定会越来越脆弱，甚至会被异乡同化掉。其实事情远非如此简单。异己的一切会从反面、侧面诱发出有关自己的思考，异乡的山水更会让人联想到自己生命的起点，因此越是置身异乡越会勾起浓浓的乡愁。乡愁越浓越不敢回去，越不敢回去越愿意把自己和故乡连在一起——简直成了一种可怖的循环，结果，一生都避着故乡旅行，避一路，想一路。

谁家玉笛暗飞声，
散入春风满洛城。
此夜曲中闻折柳，
何人不起故园情！

兰陵美酒郁金香，
玉碗盛来琥珀光。
但使主人能醉客，
不知何处是他乡。

你看，只有彻底醉倒他才会丢掉异乡感，而表面上，他已四海为家。

我想，诸般人生况味中非常重要的一项就是异乡体验与故乡意识的深刻交糅，漂泊欲念与回归意识的相辅相成。这一况味，跨国界而越古今，作为一个永远充满魅力的人生悖论而让人品咂不尽。

前两年著名导演潘小扬拍摄艾芜的《南行记》，最让我动心的镜头是艾芜老人被年岁折磨得满脸憔悴，表情漠然地坐在轮椅上。画面外歌声响起，大意是：妈妈，我还要远行，世上没有比远行更让人销魂。这是老人在心底呼喊吗？他已不能行走，事实上那时已接近他生命的终点，但在这歌声中他的眼睛突然发亮，而且颤动欲泪。他昂然抬起头来，饥渴地注视着远方。一切远行者的出发点总是与妈妈告别，走得再远也一直心存一个妈妈，一路上暗暗地请妈妈原谅，而他们的终点则是衰老，不管是否落脚于真正的故乡。他们的妈妈当然已经不在，因此归来的远行者从一种孤儿变成了另一种孤儿。这样的回归毕竟是凄楚的，无奈衰老的躯体使他们无法再度出走，只能向冥冥中的妈妈表述这种愿望。暮年的老者呼喊妈妈是不能不让人动容的，一声呼喊道尽了回归也道尽了漂泊。

不久前读到冰心老人的一篇短小散文，题目就叫《我的家在哪里》。这位九十四高龄的老作家最早也是以一个远行者的形象受到广大读者关注的，她周游世界，曾在许多不同国家不同城市居住，最后在北京定居，可真正称得上个"不知何处是他乡"的放达之人了。但是，老人这些年来在梦中常常不经意地出现回家的情节。回哪里的家呢？照理，一个女性在自己成了家庭主妇，有了完整的家庭意识后的家才是真正的家，冰心老人在梦中完全应该回到成年后安家的任何一个门庭，不管它在哪座城市；然而奇怪的是，她在梦中每次遇到要回家的场合，回的总是少女时代的那个家。一个走了整整一个世纪的圈子终于回到了原地，白发老人与天真少女融成了一体。那么，冰心老人的这些回家梦是否从根本上否定了她一生的漂泊旅程呢？当然不是。如果冰心老人始终没离开过早年的那个家，那么今天的回家梦也就失去了任何意义。在一般意义上，家是一种生活，在深刻意义上，家是一种思念。只有远行者才有对家的殷切思念，因此只有远行者才有深刻意义上的家。

艾芜心底的歌，冰心梦中的家，虽然走向不同却遥相呼应。都是世纪老人，都有艺术家的良好感觉，人生旅程的大结构真是被他们概括尽了。

无论是李白、崔颢，还是冰心、艾芜，他们都是很能写的人，可以让我们凭借着他们的诗文来谈论，而实际上，许多更强烈的漂泊感受和思乡情绪是难于言表的，只能靠一颗小小的心脏去满满地体验，当这颗心脏停止跳动，这一切也就杳不可寻，也许失落在海涛间，也许掩埋在丛林里，也许凝冻于异国他乡一栋陈旧楼房的窗户中。因此，从总体而言，这是一首无言的史诗。中国历史上每一次大的社会变动都会带来许多人的迁徙和远行，或义无反顾，或无可奈何，但最终都会进入这首无言的史诗，哽哽咽咽又回肠荡气。你看现在中国各地哪怕是再僻远的角落，也会有远道赶来的白发华侨怆然饮泣，匆匆来了又匆匆去了，不会不来又不会把家搬回来，他们不说理由也不向自己追问理由，抹干眼泪又须发飘飘地走向远方。

二

我的家乡是浙江省余姚县桥头乡车头村，我在那里出生、长大、读书，直到小学毕业离开。十几年前，这个乡划给了慈溪县，因此我就不知如何来称呼家乡的地名了。在各种表格上填籍贯的时候总要提笔思忖片刻，十分为难。有时想，应该以我在那儿的时候为准，于是填了余姚；但有时又想，这样填了，有人到现今的余姚地图上去查桥头乡却查不到，很是麻烦，于是又填了慈溪。当然也可以如实地填上“原属余姚，今属慈溪”之类，但一般表格的籍贯栏挤不下那么多字，即使挤得下，自己写着也气闷：怎么连自己是哪儿人这么一个简单问题，都签得如此支支吾吾、暧昧不清！

我不想过多地责怪改动行政区划的官员，他们一定也有自己的道理。但他们可能不知道,这种改动对四方游子带来的迷惘是难于估计的。就像远飞的燕子,当它们随着季节在山南海北绕了一大圈回来的时候,屋梁上的鸟巢还在,但屋宇的主人变了,屋子的结构也变了,它们只能唧唧啾啾地在四周盘旋,盘旋出一个崔颢式的大问号。

其实我比那些燕子还要栖惶,因为连旧年的巢也找不到了。我出生和长大的房屋早已卖掉,村子里也没有严格意义上的亲戚,如果像我现在这个样子回去,谁也不会认识我,我也想不出可在哪一家吃饭、宿夜。这居然就是我的故乡,我在这个世界上惟一的故乡!早年离开时的那个清晨,夜色还没有褪尽而朝雾已经迷蒙,小男孩瞌睡的双眼使夜色和晨雾更加浓重。这么潦草的告别,总以为会有一次隆重的弥补,事实上世间的一切都无法弥补,我就潦草地踏上了背井离乡的长途。

我所离开的是一个非常贫困的村落。贫困到哪家晚饭时孩子不小心打破一个粗瓷碗就会引来父母疯狂的追打,而左邻右舍都觉得这种追打理所当然。这儿没有正儿八经坐在桌边吃饭的习惯,至多在门口泥地上搁上一张歪斜的木几,家人在那里盛了饭再拨一点菜,托着碗东蹲西站、晃晃悠悠地往嘴里扒,因此孩子打破碗的机会很多。粗黑的手掌在孩子身上疾风暴雨般地抡过,然后小心翼翼地捡起碎碗片拼合着,几天后挑着担子的补碗师傅来了,花费很长的时间把破碗补好。补过和没补过的粗瓷碗里很少能够盛出一碗白米饭,尽管此地盛产稻米。偶尔哪家吃白米饭了,饭镬里通常还蒸着一碗霉干菜,于是双重香味在还没有揭开镬盖时已经飘洒全村,而这双重香味直到今天我还认为是一种经典搭配。雪白晶莹的米饭顶戴着一撮乌黑发亮的霉干菜，色彩的组合也是既沉着又强烈。

说是属于余姚，实际上离余姚县城还有几十里地。余姚在村民中惟一可说的话题是那儿有一所高山仰止般的医院叫“养命医院”，常言道只能医病不能医命，这家医院居然能够养命，这是何等的本事，何等的气派！村民们感叹着，自己却从来没有梦想过会到这样的医院去看病。没有一个人是死在医院里的，他们认为宁肯早死多少年也不能不死在家里。乡间的出丧比迎娶还要令孩子们高兴，因为出丧的目的地是山间，浩浩荡荡跟了去，就是一次热热闹闹的集体郊游。这一带的丧葬地都在上林湖四周的山坡上，送葬队纸幡飘飘，哭声悠扬，一转入山岙全都松懈了，因为山岙里没有人家，纸幡和哭声失去了视听对象。山风一阵使大家变得安静也变得轻松，刚刚还两手直捧的纸幡已随意地斜扛在肩上，满山除了坟茔就是密密层层的杨梅树，村民们很在行，才扫了两眼便讨论起今年杨梅的收成。

杨梅收获的季节很短，超过一两天它就会泛水、软烂，没法吃了。但它的成熟又来势汹汹，刹那间从漫山遍野一起涌出的果实都要快速处理，殊非易事。在运输极不方便的当时，村民们惟一能做的事情就是放开肚子拼命吃。也送几篓给亲戚，但亲戚都住得不远，当地每座山都盛产杨梅，赠送也就变成了交换。家家户户屋檐下排列着附近不同山梁上采来的一筐筐杨梅，任何人都可以蹲在边上慢慢吃上几个时辰，咕咕哝哝地评述着今年各座山的脾性，哪座山赌气了，哪座山在装傻，就像评述着自己的孩子。孩子们到哪里去了？他们都上了山，爬在随便哪一棵杨梅树上边摘边吃。鲜红的果实碰也不会去碰，只挑那些红得发黑但又依然硬扎的果实，往嘴里一放，清甜微酸、挺韧可嚼，扪嘴啜足一口浓味便把梅核用力吐出，手上的一颗随即又按唇而入。这些日子他们可以成天在山上逗留，杨梅饱人，家里借此省去几碗饭，家长也认为是好事。只是傍晚回家时一件白布衫往往是果汁斑斑，暗红浅绛，活像是从浴血拼杀的战场上回来。母亲并不责怪，也不收拾。这些天再洗也洗不掉，只待杨梅季节一过，渍迹自然消退，把衣服在河水里轻轻一搓便什么也看不见了。

孩子们爬在树上摘食杨梅，时间长了，满嘴会由酸甜变成麻涩。他们从树上爬下来，腆着胀胀的肚子，呵着失去感觉的嘴唇，向湖边走去，用湖水漱漱口，再在湖边上玩一玩。上林湖的水很清，靠岸都是浅滩，杨梅收获季节赤脚下水还觉得有点凉，但欢叫两声也就下去了。脚下有很多滑滑的硬片，弯腰捞起来一看，是瓷片和陶片，好像这儿打碎过很多器皿。一脚一脚趟过去，全是。那些瓷片和陶片经过湖水多年的荡涤，边角的碎口都不扎手了，细细打量，釉面锃亮，厚薄匀整，弧度精巧，比平日在家打碎的粗瓷饭碗不知好到哪里去了。这究竟是怎么回事？难道这里曾安居过许多钟鸣鼎食的豪富之家？但这儿没有任何房宅的遗迹，周围也没有一条像样的路，豪富人家的日子怎么过？捧着碎片仰头四顾，默默的山，呆呆的云，谁也不会回答孩子们。孩子们用小手把碎片摩挲一遍，然后侧腰低头，把碎片向水面平甩过去，看它能跳几下。这个游戏叫做削水片，几个孩子比赛开了，神秘的碎片在湖面上跳跃奔跑，平静的上林湖犁开了条条波纹。不一会儿，波纹重归平静，碎瓷片、碎陶片和它们所连带着的秘密全都沉入湖底。

我曾隐隐地感觉到，故乡也许是一个曾经很成器的地方，它的“大器”不知碎于何时。碎得如此透彻，像轰然山崩，也像渐然家倾。为了不使后代看到这种痕迹，所有碎片的残梦都被湖水淹没，只让后代捧着几个补过的粗瓷碗。盛着点儿白米饭霉干菜木然度日。如果让那些补碗的老汉也到湖边来，孩子们捞起一堆堆精致的碎瓷片碎陶片请他们补，他们会补出一个什么样的物件来？一定是硕大无朋又玲珑剔透的吧？或许会嗡嗡作响或许会寂然无声？补碗老汉们补完这一物件后必然又会被它所惊吓，不得不蹑手蹑脚地重新把它推入湖底然后仓皇逃离。

我是一九五七年离开家乡的，吃过了杨梅，拜别上林湖畔的祖坟，便来到了余姚县城，也来不及去瞻仰一下心仪已久的"养命医院"，立即就上了去上海的火车。那年我正好十周岁，在火车窗口与送我到余姚县城的舅舅挥手告别，怯生生地开始了孤旅。我的小小的行李包中，有一瓶酒浸杨梅，一包霉干菜，活脱脱一个最标准的余姚人。一路上还一直在后悔，没有在上林湖里捡取几块碎瓷片随身带着，作为纪念。

三

我到上海是为了考中学。父亲原本一个人在上海工作，我来了之后不久全家都迁移来了，从此回故乡的必要性和可能性都已不大，故乡的意义也随之而越来越淡，有时，淡得几乎看不见了。

摆脱故乡的第一步是摆脱方言。余姚虽然离上海不远，但余姚话和上海话差别极大，我相信一个纯粹讲余姚话的人在上海街头一定是步履维艰的。余姚话与它的西邻绍兴口音和东邻宁波口音也不一样，记得当时在乡下，从货郎、小贩那里听到几句带有绍兴口音或宁波口音的话，孩子们都笑弯了腰，一遍遍夸张地模仿和嘲笑着，嘲笑天底下怎么还有这样不会讲话的人。村里的老年人端然肃然地纠正着外乡人的发音，过后还边摇头边感叹，说外乡人就是笨。这种语言观念自从我踏上火车就渐渐消解，因为我惊讶地发现，那些非常和蔼地与我交谈的大人们听我的话都很吃力，有时甚至要我在纸上写下来他们才恍然大悟，哈哈大笑，笑声中我讲话的声音越来越小，到后来甚至不愿意与他们讲话了。到了上海，几乎无法用语言与四周沟通，成天郁郁寡欢。有一次大人把我带到一个亲戚家里去，那是一个拥有钢琴的富贵家庭，钢琴边坐着一个比我小三岁的男孩，照辈分我还该称呼他表舅舅。我想同样是孩子，又是亲戚，该谈得起来了吧，他见到我也很高兴，友好地与我握手，但才说了几句，我能听懂他的上海话，他却听不懂我的余姚话，彼此扫兴，各玩各的了。最伤心的是我上中学的第一天，老师不知怎么偏偏要我站起回答问题，我红着脸憋了好一会儿终于把满口的余姚话倾泻而出，我相信当时一定把老师和全班同学都搞糊涂了，完全不知道在说什么。等我说完，憋住的是老师，他不知所措的眼光在厚厚的眼镜片后一闪，终于转化出和善的笑意，说了声“很好，请坐”。这下轮到同学们发傻了，老师说了很好？他们以为上了中学都该用这种奇怪的语言回答问题，全都慌了神。

幸亏当时十岁刚出头的孩子们都非常老实，同学们一下课就与我玩，从不打听我的语言渊源，我也就在玩耍中快速地学会了他们的口音，仅仅一个月后，当另外一位老师叫我站起来回答问题的时候，我说出来的已经是一口十分纯正的上海话了。短短的语言障碍期跳跃得如此干脆，以至我的初中同学直到今天还没有一个人知道我是从余姚赶到上海来与他们坐在一起的。

这件事现在回想起来仍感到十分惊讶，我竟然一个月就把上海话学地道了，而上海话又恰恰是特别难学的。上海话的难学不在于语言的复杂而在于上海人心态的怪异，广东人能容忍外地人讲极不标准的广东话，北京人能容忍羼杂着各地方言的北京话，但上海人就不允许别人讲不伦不类的上海话。有人试着讲了，几乎所有的上海人都会求他“帮帮忙”，别让他们的耳朵受罪。这一帮不要紧，使得大批在上海生活了四十多年的“南下干部”，至今不敢讲一句上海话。我之所以能快速学会是因为年纪小，对语言的敏感能力强而在自尊、自羞方面的敏感能力还比较弱，结果反而进入了一种轻松状态，无拘无碍，一学就会。我从上海人自鸣得意的心理防范中一头蹿了过去，一下子也成了上海人。有时也想，上海人凭什么在语言上自鸣得意呢？他们的前辈几乎都是从外地闯荡进来的，到了上海才渐渐甩掉四方乡音，归附上海话；而上海话又并不是这块土地原本的语言，原本的语言是松江话、青浦话、浦东话，却为上海人所耻笑。上海话是一种类似于“人造蟹肉”之类的东西，却能迫使各方来客挤掉本身的鲜活而进入它的盘碟。

一个人或一个家庭一旦进入上海就等于进入一个魔圈，要小心翼翼地洗刷掉任何一点非上海化的印痕，特别是自己已经学会的上海话中如果还带着点儿乡音的遗留，就会像对付寻常苍蝇、蚊子一样努力把它们清除干净。我刚到上海那会儿，街市间还能经常听到一些年纪较大的人口中吐出的宁波口音或苏北口音，但这种口音到了他们下一代基本上就不存在了，现在你已经无法从一个年轻的上海人的谈吐中判断他的原籍所在。与口音一样，这些上海人与故乡的联系也基本消解，但他们在填写籍贯的时候又不可能把上海写上去。于是上海人成了无根无基的一群，不知自己从何而来，不知自己属于哪块土地，既得意洋洋又可怜兮兮。由此倒羡慕起那些到老仍不改乡音的前辈，他们活生生把一个故乡挂在嘴边，一张口，就告示出自己的生命定位。

我天天讲上海话，后来随着我生存空间的进一步扩大，则开始把普通话作为交流的基本语言，余姚话隐退得越来越远，最后已经很难从我口中顺畅吐出了。我终于成为一个基本上不大会说余姚话的人，只有在农历五月杨梅上市季节，上海的水果摊把一切杨梅都标作余姚杨梅在出售的时候，我会稍稍停步，用内行的眼光打量一下杨梅的成色，脑海中浮现出上林湖的水光云影，但一转眼，我又汇入了街市间雨点般的脚步。

故乡，就这样被我丢失了。

故乡，就这样把我丢失了。

四

重新捡回故乡是在上大学之后，但捡回来的全是碎片。我与故乡做着一种捉迷藏的游戏：好像是什么也找不到了，突然又猛地一下直竖在眼前，正要伸手去抓却空空如也，一转身它又在某个角落出现……

进大学后不久就下乡劳动，那年月下乡劳动特别多，上一趟大学有一半多时间在乡下。那乡下当然不是我的故乡，同样的茅舍小河，同样的草树庄稼，我却没完没了地在异乡的泥土间劳作，那么当初又为什么离乡呢？正这么想着，一位同样是下乡来劳动的书店经理站到了我身边，他看着眼前的土地好一会儿不说话，终于轻轻问我："你是哪儿人？"

“余姚。浙江余姚。”我答道。

“王阳明的故乡，了不得！”当年的书店经理有好些是读了很多书的人，他好像被什么东西点燃了，突然激动起来，“你知道吗，日本有一位大将军一辈子裤带上挂着一块牌，上面写着‘一生崇拜王阳明！’[①]连蒋介石都崇拜王阳明，到台湾后把草山改成阳明山！你家乡现在大概只剩下一所阳明医院了吧？”

我正在吃惊，一听他说阳明医院就更慌张了，“什么？阳明医院？那是纪念王阳明的？”原来我从小不断从村民口中听到的“养命医院”竟然是这么回事！

我顾不得书店经理了，一个人在田埂上呆立着，为王阳明叹息。他狠狠地为故乡争了脸，但故乡并不认识他，包括我在内。我，王阳明先生，比你晚生五百多年的同乡学人，能不能开始认识你，代表故乡、代表后代，来表达一点歉疚？

从此我就非常留心有关王阳明的各种资料。令人生气的是，当时大陆几乎所有的书籍文章只要一谈及王阳明都采取否定的态度，理由是他在哲学上站在唯心主义的立场，在政治上站在农民起义的对立面，是双料的反动。我不知道中国数千年历史上有哪一位真正堪称第一流的大学者是彻底的唯物主义者又坚定地站在农民起义一边的，我只觉得有一种非学术的卫护本能从心底升起：怎么能够这样欺侮我们余姚人！得了他多少年的声名还痛骂他，天底下哪有这样的道理？

① 后从姚业鑫先生的大著《名邑余姚》中得知，那是日本海军大将东乡平八郎，在随身携带的一颗印章上刻着“一生低首拜阳明”七字。

我点点滴滴地搜集与他有关的一切，终于越来越明白，即使他不是余姚人，我也会深深地敬佩他，而正因为他是余姚人，我由衷地为他和故乡骄傲。中国历史上能文能武的人很多，但在两方面都臻于极致的却寥若晨星。三国时代曹操、诸葛亮都能打仗，文才也好，但是在文化的综合创建上毕竟未能俯视历史；身为文化大师而又善于领兵打仗的有谁呢？宋代的辛弃疾算得上一个，但总还不能说他是杰出的军事家。好像一切都要等到王阳明的出现，才能让奇迹真正的产生。王阳明是无可置疑的军事天才，为了社会和朝廷的安定，他打过起义军，也打过叛军，打的都是大仗，从军事上说都是独具谋略、娴于兵法、干脆利落的漂亮动作，也是当时全国最重要的军事行为。明世宗封他为"新建伯"，就是表彰他的军事贡献。我有幸读到过他在短兵相接的前线写给父亲的一封问安信，这封信，把连续的恶战写得轻松自如，把复杂的军事谋略和政治谋略说得如同游戏，把自己在瘴疠地区终于得病的大事更是毫不在意一笔带过，满纸都是大将风度。《明史》说，整个明代，文臣用兵，没有谁能与他比肩。但他又不是一般的文臣，而是中国历史上屈指可数的几个最伟大的哲学家之一，因此他的特殊性就远不止在明代了。我觉得文臣用兵真正用到家的还有清代的曾国藩，曾国藩的学问也不错，但与王阳明比显然还差了一大截。王阳明一直被人们诟病的哲学，在我看来是中华民族智能发展史上的一大成就，能够有资格给予批评的人其实并不太多。请随便听一句：

你未看此花时，此花与汝同归于寂；你来看此花时，则此花颜色一时明白起来……

这是多高超的悟性,多精致的表达!我知道有不少聪明人会拿着花的"客观性"来愤怒地反驳他,但那又是多么笨拙的反驳啊。又如他提出的"致良知"的千古命题,对人本如此信赖,对教条如此轻视,甚至对某种人类共通规范的自然滋长抱有如此殷切的期盼,至少对我来说,只有恭敬研习的份。

王阳明夺目的光辉也使他受了不少难,他入过监狱、挨过廷杖、遭过贬谪、逃过暗算、受过冷落,但他还要治学讲学、匡时济世,因此决定他终生是个奔波九州的旅人,最后病死在江西南安的船上,只活了五十七岁。临死时学生问他遗言,他说"此心光明,亦复何言"!

王阳明一生指挥的战斗正义与否,他的哲学观点正确与否都可以讨论,但谁也不能否定他是一个特别的强健的人,我为他骄傲首先就在于此。能不能碰上打仗是机遇问题,但作为一个强健的人,即便不在沙场也能在文化节操上坚韧得像个将军。

我在王阳明身上看到了一种楷模性的存在,但是为了足以让自己的生命安驻,还必须被补充范例。翻了几年史籍,发现在王阳明之后的中国文化史上最让我动心的很少几位大师中仍有两位是余姚人,他们就是黄宗羲和朱舜水。

黄宗羲和朱舜水都可称为满腹经纶的血性汉子。生逢乱世,他们用自己的嶙峋傲骨支撑起了全社会的人格坐标。因此乱世也就获得了一种精神引渡。黄宗羲先生的事迹我在以前的几篇散文中已多次提到,可知佩服之深,今天还想说两句。你看他十九岁那年在北京,为报国仇家恨,手持一把铁锥,见到魏忠贤余孽就朝他们脸上直刺过去,一连刺伤八人,把整个京城都轰动了。这难道就是素称儒雅的江南文士吗?是的,是江南余姚文士!浑身刚烈,足以让齐鲁英雄、燕赵壮士也为之一震。在改朝换代之际，他又敢于召集义军、结寨为营，失败后立即投身学术，很快以历史学泰斗和百科全书式的文化巨人的形象巍然挺立。

朱舜水也差不多，在刀兵行伍间奔走呼唤多年而未果之后，毅然以高龄亡命海外，把中国文化最深致最感性的部分完整地向日本弘扬，以连续二十余年的努力创造了中日文化交流史、亚洲文化发展史上的宏大业绩。白发苍苍的他一次次站在日本的海边向西远望，泣不成声，他至死都在想念着家乡余姚，而虔诚崇拜他的日本人民却把他的遗骨和坟墓永久性地挽留住了。

梁启超在论及明清学术界王阳明、朱舜水、黄宗羲家族和邵晋涵家族时，不能不对余姚钦佩不已了。他说：

> 余姚以区区一邑，而自明中叶迄清中叶二百年间，硕儒辈出，学风沾被全国以及海东。阳明千古大师，无论矣；朱舜水以孤忠羁客，开日本德川氏三百年太平之局；而黄氏自忠端以风节历世，梨洲、晦木、主一兄弟父子[①]，为明清学术承先启后之重心；邵氏自鲁公、念鲁公以迄二云[②]，间世崛起，绵绵不绝。……生斯邦者，闻其风，汲其流，得其一绪则足以卓然自树立。

梁启超是广东新会人，他从整个中国文化的版图上来如此激情

---

① 忠端即黄宗羲父黄尊素，梨洲即黄宗羲，晦木即黄宗炎。主一即黄百家。

② 鲁公即邵曾可，念鲁公即邵廷采，二云即邵晋涵。

洋溢地褒扬余姚，并没有同乡自夸的嫌疑。我也算是梁启超所说的“生斯邦者”吧，虽说未曾卓然自立却也曾经是“闻其风，汲其流”的，不禁自问，那究竟是一种什么“风”、什么“流”呢？我想那是一种神秘的人格传递，而这种传递又不是直接的，而是融入到了故乡的山水大地、风土人情，无形而悠长。这使我想起范仲淹的名句：

云山苍苍，江水泱泱，先生之风，山高水长。

写下这十六个字后我不禁笑了，因为范仲淹的这几句话是在评述汉代名士严子陵时说的，而严子陵又是余姚人。对不起，让他出场实在不是我故意的安排。

由此，我觉得真正找到了自己的故乡。

五

我发现故乡也在追踪和包围我，有时还会达到很有趣的地步。

最简单的例子是我进上海戏剧学院读书后，发现当时全院学术威望最高的朱端钧教授和顾仲彝教授都是余姚人。这是怎么搞的，我不是告别余姚了吗，好不容易进了大学又一头撞在余姚人的手下。

近几年怪事更多了。有一次我参加上海市的一个教授评审组，好几个来自各大学的评审委员坐在一起发觉彼此乡音靠近，三言两语便认了同乡，然后都转过头来询问没带多少乡音的我是哪儿人，我的回答使他们怀疑我是冒充同乡来凑趣，直到我几乎要对天发誓他们才相信。这时正好走进来新任评审委员的复旦大学王水照教授，大家连忙问他，王教授十分文静地回答：“余姚人。”

就在这次评审回家，母亲愉快地告诉我，有一个她不认识的乡下朋友来过电话，用地道的余姚话与她交谈了很久。问了半天我才弄明白，那是名扬国际的英语语言学家陆谷孙教授，我原先以为他似乎理所当然应该是英国籍的世界公民。

前两年我对旧上海世俗社会的心理结构产生了兴趣，在研究中左挑右筛，选中了“海上闻人”黄金荣和“大世界”的创办者黄楚九作为重点剖析对象，还曾戏称为“二黄之学”。但研究刚开始遇到二黄的籍贯我不禁颓然废笔，傻坐良久。这两位同乡在上海一度发挥的奇异威力使我对故乡的内涵有了另一方面的判断。

故乡也有很丢人的时候。“文化大革命”时期把严子陵、王阳明、黄宗羲、朱舜水的纪念碑亭全部砸烂，这虽然痛心却也可以想像，因为当时整个中国大陆没有一个地方不是这样做的，但余姚发生的武斗之惨烈和长久，则是出乎想像之外的。余姚人打杀余姚人，打到长长的铁路线独独因余姚而瘫痪在那里，上海的街头贴满了武斗双方的宣言书，实在丢人现眼，让一切在外的余姚人都抬不起头来。难道黄宗羲、朱舜水的刚烈之风已经演变成这个样子了？王阳明呼唤的良知已经纤毫无存？在那些人心惶惶的夜晚，我在上海街头寻找着那些宣言书，即怕看又想看。昏黄的灯光照着血腥的词句，就文词而言，也许应该说是当时全国各地同类宣言书中写得最酣畅漂亮的，但这使我更加难过，就像听到用华丽的男中音骂出了一串脏话，而这个男中音又恰恰是从我家旧门庭传出，如何消受得住。如果前后左右没有人看见，我会从墙上撕下这些宣言书，扯成最细的纸丁，塞进阴沟，然后做贼般逃走。

我怕有人看见，却又希望故乡能在冥冥中看到我的这些举动。

我怀疑它看到了，我甚至能感觉到它苍老的颤抖。它多么不愿意掏出最后的老底来为自己正名，苦苦憋了几年，终于忍不住，就在武斗现场附近，一九七三年，袒露出一个震惊世界的河姆渡！袒露在不再有严子陵、王阳明、黄宗羲、朱舜水任何遗迹的土地上，袒露在一种无以言表的荒凉之中。要不然，有几位大师在前面光彩着，河姆渡再晚个千把年展示出来也是不慌的。

河姆渡着实又使家乡风光顿生。一个整整七千年的文化遗址，而人们平日说起华夏历史总是五千年。河姆渡雄辩地证明，长江流域并不历来是茹毛饮血的南蛮之地而愧对黄河文明，恰恰相反，这儿也是中华民族的温暖故乡。当自己的故乡突然变成了全民族的故乡，这种心理滋味是很复杂的，既有荣耀感又有失落感。总算是一件不同凡响的好事吧，从七十年代开始，中国的一切历史教科书的前面几页都有了余姚河姆渡这个名称。

后来，几位大师逐一恢复名誉，与河姆渡遥相呼应，故乡的文化分量就显得有点超重。记得前年我与表演艺术家张瑞芳和画家程十发一起到日本去，在东京新大谷饭店的一个宴会厅里，与一群日本的汉学家坐在一起闲聊，不如怎么说起了我的籍贯，好几个日本朋友夸张地瞪起了眼，嘴里发出"嘀——嘀——"的感叹声，像是在倒吸冷气。他们虽然不太熟悉严子陵和黄宗羲，却大谈王阳明和朱舜水，最后又谈到了河姆渡，倒吸冷气的声音始终不断。他们一再把手按在我的手背上要我确信，我的家乡是神土，是福地。

同桌只有两位陶艺专家平静地安坐着，人们向我解释，他们来参加宴会是因为过几天也要去中国大陆考察古代陶瓷。我想中止一下倒吸冷气的声音，便把脸转向他们，随口问他们将会去中国什么地方，他们的回答译员翻不出来，只能请他们写，写在纸条上的字居然是“慈溪——上林湖”！

我无法说明慈溪也是我的家乡，因为这会使刚才还在为余姚喝采的日本朋友疑惑不解，但我实在压抑不住内心的激动，告诉两位陶艺专家：“上林湖，是我小时候三天两头去玩水的地方。”两位陶艺专家惊讶地看了我一眼，从口袋里取出一叠照片，上面照的全是陶瓷的碎片。

——一点不错，这正是我当年与小朋友一起从湖底摸起，让它们在湖面上跳跃奔跑的那些碎片！

两位陶艺专家告诉我，据他们所知，上林湖就是名垂史册的越窑所在地，从东汉直至唐、宋，那里曾分布过一百多个窑场，既有官窑又有民窑，国际陶瓷学术界已经称上林湖为举世罕见的露天青瓷博物馆。我专注而又失神地听着，连点头也忘了。竟然是这样！一个从小留在心底的谜，轻轻地解开于异国他乡。谜底的辉煌，超过我曾经作过的最大胆的想像。想想从东汉到唐、宋这段漫长的风华年月吧，曹操、唐明皇、武则天的盘盏，王羲之、陶渊明、李白的酒杯，都有可能烧成于上林湖边。家乡细洁的泥土，家乡清澈的湖水，家乡热烈的炭火，曾经铸就过无数美丽的载体，天天送到那些或是开朗、或是苦涩的嘴边。这便是我从小就想寻找的属于故乡的“大器”吗？我不知道今天上林湖边，村民们是否还在用易碎的粗瓷饭碗，不知道今天上林湖底，是否还沉积着那么多碎片，听这两位日本陶艺专家说，这些碎片现今在国际市场上的价格，极其昂贵。

六

从日本回来后，我一直期待着一次故乡之行，对于一个好不容易修补起来了的家乡，我不应该继续躲避。正好余姚市政府聘请我担任文化顾问，我就在今年秋天回去了一次。一直好心陪着我的余姚乡土文化的研究者姚业鑫先生执意要我在进余姚城之前先去看看河姆渡博物馆，博物馆馆长邵九华先生为了等我，前一夜没有回家，在馆中过夜。两位学者用余姚话给我详细介绍了河姆渡的出土文物，那一些是足够写几篇大文章的，留待以后吧。我在参观中最惊讶的发现是，这儿，七千年前，人们已经有木构建筑，已经在摘食杨梅，已经在种植稻谷，已经在烧制炊具，甚至在陶甑所盛的香喷喷白米饭上已经有可能也盖着一层霉干菜！有的学者根据一个陶碗上所刻的驯良的野猪图形，判断当时的河姆渡人不仅烧食猪肉，而且极有可能正是由霉干菜烧成。

难道故乡的生态模式，早在七千年前就已经大致形成？如此说来，七千年过得何其迅速又何其缓慢。

我在河姆渡遗址上慢慢地徘徊，在这块小小的空间里，漫长的时间压缩在一起，把洋洋洒洒永远说不完道不尽的历史故事压缩在泥土层的尺寸之间。我想，文明的人类总是热衷于考古，就是想把压缩在泥土里的历史扒剔出来，舒展开来，窥探自己先辈的种种真相。那么，考古也就是回乡，也就是探家。探视地面上的家乡往往会有岁月的唏嘘、难言的失落，使无数游子欲往而退；探视地底下的家乡就没有那么多心理障碍了，整个儿洋溢着历史的诗情、想像的愉悦。我把这个意思说给了陪着我的两位专家听，他们点头，但转而又说，探视地底下的家乡也不轻松。

我终于约略明白了他们的意思。就在我们脚下，当一批批七千年前的陶器、木器、骨器大量出土引起人们对河姆渡的先人热烈欢呼的时候，考古学者在陶釜和陶罐里发现了煮食人肉的证据，而且，煮食的是婴儿。多么不希望是这样，他们郑重地请来了著名古人类学家贾兰坡教授，老教授亲自鉴定后作出了确证无疑的结论。此外，又挖掘出了很多无头的骨架，证明这里盛行过可以称为"猎首"的杀人祭奠仪式。当然这一切绝不仅仅发现在河姆渡遗址中，但这儿的发现毕竟说明，使故乡名声大震的悠久文化中包含着大量无法掩饰的蒙昧和野蛮。

可以为祖先讳，可以为故乡讳，但讳来讳去只是一种虚假的安慰。远古的祖先在地底下大声咆哮，儿孙们，让我真实，让我自在，千万别为我妆扮！于是，远年的荣耀负载出远年的恶浊，精美的陶器贮存着怵目的残忍。我站在这块土地上离祖先如此逼近，似乎伸手便能搀扶他们，但我又立即跳开了，带着恐惧和陌生。

美国人类学家摩尔根指出，蒙昧——野蛮——文明这三个段落，是人类文化和社会发展的普遍阶梯。文明是对蒙昧和野蛮的摆脱，人类发展的大过程如此，每个历史阶段的小过程也是如此。王阳明他们的产生，也同样是为了摆脱蒙昧和野蛮吧，摆脱种种变相的食人和猎首。直到今天，我们大概还躲不开与蒙昧和野蛮的周旋，因此文明永远显得如此珍贵。蒙昧和野蛮并不是一回事，蒙昧往往有朴实的外表，野蛮常常有勇敢的假相，从历史眼光来看，野蛮是人们逃开蒙昧的必由阶段，相对于蒙昧是一种进步；但是，野蛮又绝不愿意就范于文明，它会回过身去与蒙昧结盟，起来对抗文明。结果，一切文明都会遇到两种对手的围攻:外表朴实的对手和外表勇敢的对手,前者是无知到无可理喻,后者是强蛮到无可理喻。更麻烦的是,这些对手很可能与已有的文明成果混成一体,甚至还会悄悄地潜入人们的心底,使我们在寻找它们的时候常常寻找到自己的父辈,自己的故乡,自己的历史。

我们的故乡,不管是空间上的故乡还是时间上的故乡,究竟是属于蒙昧、属于野蛮,还是属于文明?我们究竟是从何处出发,走向何处?我想,即便是家乡的陶瓷器皿也能证明:文明有可能盛载过野蛮,有可能掩埋于蒙昧;文明易碎,文明的碎片有可能被修补,有可能无法修补,然而即便是无法修补的碎片,也会保存着某种光彩,永久地让人想像。能这样,也就够了。

告别河姆渡遗址后,几乎没有耽搁,便去余姚市中心的龙泉山拜谒重新修复的四位先贤的碑亭。一路上我在想,区区如我,毕生能做的,至多也是一枚带有某种文明光泽的碎片罢了,没有资格跻身某个遗址等待挖掘,没有资格装点某种碑亭承受供奉,只是在与蒙昧与野蛮的搏斗中碎得于心无愧。无法躲藏于家乡的湖底,无法奔跑于家乡的湖面,那就陈之于异乡的街市吧,即便被人踢来踢去,也能铿然有声。偶尔有哪个路人注意到这种声音了,那就顺便让他看看一小片淡青色的明亮。

七

第二天我就回上海了。出生的村庄这次没有去,只在余姚城里见了一位远房亲戚:比我小三岁的表舅舅。记得吗?当年我初到上海时在钢琴边与我握手的小男孩,终于由于语言不通玩不起来;后来

"文化大革命"中阴错阳差他到余姚来工作了,这次相见我们的语言恰好倒转,我只能说上海话而他则满口乡音。倒转,如此轻易。

我就算这样回了一次故乡?不知怎么,疑惑反而加重了:远古沧桑、百世英才,但它属于我吗?我属于它吗?身边多了一部《余姚志》,随手翻开姓氏一栏,发觉我们余姓在余姚人数不多。也查过姓氏渊源,知道余姓是秦代名臣由余氏的后裔,唐代之后世居安徽歙州,后由安徽繁衍到江西南昌。历史上姓余的名人很少,勉强称得上第一个的,大概是宋代天圣年间的官僚余靖,但他是广东人。后来又从福建和湖北走出过几个稍稍有点名气的姓余的人。我的祖先,是什么时候漂泊到浙江余姚的呢?我口口声声说故乡、故乡,究竟该从什么时候说起呢?河姆渡、严子陵时代的余姚,越窑鼎盛时期的上林湖,肯定与我无关,我真正的故乡在哪儿呢?

正这么傻想着,列车员站到了我眼前,说我现在坐的是软席,乘坐需要有级别,请我出示级别证明。我没有这种证明,只好出示身份证,列车员说这没用,为了保护软席车厢旅客的安全,让我到硬席车厢去。车厢里大大小小持有"经理"证明或名片的旅客和他们的家属开始用提防的眼光注视我,我赶紧抱起行李低头逃离。可是我车票上的座位号码本不在硬席车厢,怎么可能在那里找到座位呢?只好站在两节车厢的接口处,把行李放在脚边。我突然回想起三十多年前第一次离开余姚到上海去时坐火车的情景,也是这条路,也是这个人,但那时是有座位的,行李里装着酒浸杨梅和霉干菜,嘴上咕哝着余姚话;今天,座位没有了,身份模糊了,乡音丢失了,行李里也没有土产了,哐啷哐啷地又在这条路上走一趟。

从一个没有自己家的家乡,到一个有自己家的异乡,离别家乡恰恰是为了回家，我的人生旅行，怎么会变得如此怪诞？

火车外面，陆游、徐渭的家乡过去了，鲁迅、周作人的家乡过去了，郁达夫、茅盾的家乡过去了，丰子恺、徐志摩的家乡过去了……

他们中有好多人，最终都没有回来。有几个，走得很远，死得很惨。

其中有一个曾经洒脱地吟道：

悄悄的我走了，
正如我悄悄的来；
我挥一挥衣袖，
不带走一片云彩。

车窗外的云彩暗了，时已薄暮，又想起了崔颢的诗句。淅淅沥沥，好像下起雨来了。